O Príncipe

Dados Internacionais de Catalogação na Publicação (CIP)
(Câmara Brasileira do Livro, SP, Brasil)

Maquiavel, Nicolau
O Príncipe / tradução de Hingo Weber – 6. ed. – Petrópolis, RJ : Vozes, 2015. – (Vozes de Bolso)

11ª reimpressão, 2024.

ISBN 978-85-326-4185-4

Tìtulo original: Il Principe

1. Maquiavel, Nicolau, 1469-1527. O Príncipe I. Título.

07-3744 CDD-320.01

Índices para catálogo sistemático:

1. Filosofia política 320.01

Nicolau Maquiavel

O Príncipe

Tradução de Hingo Weber

Vozes de Bolso

Tradução do original em italiano intitulado *Il Principe*

Rua Frei Luís, 100
25689-900 Petrópolis, RJ
www.vozes.com.br
Brasil

Editoração: Sheila Ferreira Neiva
Diagramação: AG.SR Desenv. Gráfico
Capa: visiva.com.br

ISBN 978-85-326-4185-4

Este livro foi composto e impresso pela Editora Vozes Ltda.

Sumário

Maquiavel ao magnífico Lourenço de Médici, 7

I. Quantos são os gêneros de principados e de que modo são conquistados, 9

II. Dos principados hereditários, 10

III. Dos principados mistos, 11

IV. Por que motivo o reino de Dario, ocupado por Alexandre, não se rebelou contra seus sucessores após a morte de Alexandre, 21

V. De que modo são mantidas cidades ou províncias que, antes da ocupação, viviam sob suas próprias leis, 25

VI. Dos principados totalmente novos conquistados com armas próprias e *virtù*, 27

VII. Dos principados totalmente novos conquistados por meio das armas alheias e da fortuna, 31

VIII. Dos que chegaram ao principado por meios celerados, 39

IX. Do principado civil, 44

X. De que modo se deve avaliar a força de todos os principados, 48

XI. Dos principados eclesiásticos, 51

XII. De quantos gêneros são as milícias, e dos soldados mercenários, 54

XIII. Das milícias auxiliares, mistas e próprias, 60

XIV. Os deveres do príncipe para com a milícia, 65

XV. As coisas pelas quais os homens e, especialmente, os príncipes são louvados ou desprezados, 68

XVI. Da liberalidade e da parcimônia, 70

XVII. Da crueldade e da piedade; se é melhor ser amado do que temido, ou o contrário, 73

XVIII. De que modo os príncipes devem observar a fidelidade, 77

XIX. Da fuga do desprezo e do ódio, 81

XX. Se as fortalezas e muitas outras coisas, que frequentemente são feitas pelos príncipes, são úteis ou não, 93

XXI. O que convém a um príncipe para que seja estimado, 99

XXII. Dos ministros que os príncipes têm junto a si, 104

XXIII. Como se defender dos aduladores, 106

XXIV. Por que os príncipes da Itália perderam seus reinos, 109

XXV. Quanto pode a fortuna nas coisas humanas e de que modo resistir-lhe, 111

XXVI. Exortação à libertação da Itália dominada pelos bárbaros, 115

Maquiavel ao magnífico Lourenço de Médici

Aqueles que desejam merecer a gratidão de um príncipe costumam ir ao seu encontro com o que têm de mais precioso, ou com o que cause mais deleite a ele; por isso os vemos muitas vezes presenteando cavalos, armas, tecidos de ouro, pedras preciosas e ornamentos similares dignos da grandeza daquele. Desejando eu, portanto, apresentar-me a Vossa Magnificência com um testemunho de minha serventia, não encontrei, entre os meus pertences, algo que considere mais importante ou que estime mais quanto o conhecimento das ações dos grandes homens, adquirido por mim com uma longa experiência das coisas modernas e uma contínua lição das antigas; coisas as quais, tendo sido com grande cuidado longamente pensadas e examinadas, e agora a um pequeno volume reduzidas, mando a Vossa Magnificência.

E ainda que eu julgue esta obra indigna da presença de Vossa Magnificência, também confio muito que, pela sua humanidade, deva ser aceita, considerando que eu não poderia oferecer-lhe maior presente que lhe dar o poder de entender em brevíssimo tempo tudo aquilo que eu, em tantos anos e com tantos apertos e perigos, enfim conheci e entendi. Obra a qual eu não enfeitei nem a enchi de sentenças imprecisas, ou de palavras pomposas e magníficas, ou de qualquer outro artifício ou ornamento desnecessário, com os quais muitos costumam descrever e ornar as suas coisas; porque eu quis, ou que nenhuma coisa a honre, ou que somente a variedade da matéria e a gravidade do tema a façam merecedora de gratidão. Nem quero que seja considerada presunção se um homem de baixa e ínfima condição ousa regular e discorrer sobre o governo dos príncipes, porque, assim como aqueles que desenham as paisagens põem-se baixo, no plano, para considerar a natureza dos montes e dos lugares altos, e para considerar aquelas de baixo põem-se alto, sobre os montes, similarmente, para conhecer bem a natureza do povo é preciso ser príncipe, e, para conhecer bem aquela do príncipe, é preciso ser povo.

Aceite, portanto, Vossa Magnificência este pequeno presente com o mesmo ânimo que eu o mando; no qual, se for diligentemente considerado e lido, conhecereis o meu desejo extremo de que alcanceis aquela grandeza que a fortuna e vossas outras qualidades vos prometem. E se Vossa Magnificência, do ápice de sua alteza, uma hora dessas voltar os olhos a esses lugares baixos, saberá que eu suportei injustamente uma grande e contínua malignidade da fortuna.

I
Quantos são os gêneros de principados e de que modo são conquistados

Todos os domínios que existiram e que imperaram sobre os homens são Estados e são ou repúblicas ou principados. Os principados são ou hereditários, em que o sangue do senhor atual tenha sido príncipe por longos anos, ou são novos. Os novos ou são totalmente novos, como foi Milão à época de Francesco Sforza, ou são como membros anexados ao Estado hereditário do príncipe que os ocupa, como é o reino de Nápoles ao rei de Espanha. Os domínios assim ocupados são ou acostumados a viver sob um príncipe, ou acostumados a ser livres, e ocupados ou com as armas dos outros ou com as próprias, ou por meio da fortuna ou por meio da *virtù*.

II
Dos principados hereditários

Não raciocinarei aqui sobre as repúblicas, porque em outra obra o fiz longamente. Voltar-me-ei somente ao principado e, observando a ordem exposta acima, debaterei como esses tipos de principados podem ser ocupados e mantidos.

Digo, portanto, que nos Estados hereditários e acostumados ao sangue de seu príncipe são menores as dificuldades para mantê-los do que nos novos, porque basta somente não desprezar a ordem de seus antecessores e depois contemporizar com os acidentes; de modo que, se tal príncipe é medianamente capaz, sempre se manterá em seu Estado, a menos que uma extraordinária e excessiva força o prive de seu Estado; e privado que seja, assim que algo de sinistro ocorra com o ocupador, reconquista-o.

Nós temos na Itália, como exemplo, o Duque de Ferrara, o qual resistiu às investidas dos venezianos em 1484 e às do Papa Júlio em 1510, por nenhuma outra razão senão por ser antigo naquele domínio. Porque o príncipe natural tem menores motivos e menor necessidade de ofender, donde resulta que seja mais amado; e, se vícios extraordinários não o fazem odiado, é razoável que naturalmente seja benquisto entre os seus. E na antiguidade e continuação do domínio são apagadas a memória e as causas das inovações, porque uma mudança sempre deixa a base para a edificação de outra.

III
Dos principados mistos

Mas no principado novo está a dificuldade. E, primeiramente, se não é totalmente novo, mas anexa um novo membro ao tronco hereditário (de modo que se pode chamar tudo junto quase misto), as suas variações nascem primeiramente de uma dificuldade natural, comum a todos os principados novos: de que os homens mudam voluntariamente de senhor acreditando melhorarem. E essa crença os faz pegar em armas contra aquele; no que se enganam, porque veem depois, por experiência, que pioraram. O que acarreta uma outra necessidade natural e ordinária: sempre é necessário ofender aqueles dos quais te tornas príncipe novo e com gente armada e com infinitas outras injúrias que acompanham a nova ocupação, de modo que tu tens como inimigos todos aqueles que ofendeste ao ocupar aquele principado, e não podes manter como amigos aqueles que te abriram a porta, por não os poder satisfazer da forma que pressupuseram e por não poderes tu usar contra eles medidas fortes, pois a eles estás obrigado; porque sempre, ainda que alguém seja fortíssimo em seus exércitos, é preciso o favor dos provinciais para entrar em uma província. Por esses motivos, Luís XII, rei da França, ocupou subitamente o principado de Milão, e súbito o perdeu, e bastou para retomá-lo, na primeira vez, a própria força de Ludovico, porque aqueles populares que lhe haviam aberto a porta, encontrando-se enganados em sua opinião e quanto aos futuros benefícios que haviam pressuposto, não puderam suportar os fastídios do novo príncipe.

É bem verdade que, ocupando-se pela segunda vez as províncias rebeladas, estas são perdidas com mais dificuldade, porque o senhor antecipa-se à ocasião da rebelião, pois é menos respeitoso na punição dos delinquentes e na elucidação dos suspeitos, prevenindo-se nas partes mais débeis. De modo que, se para fazer com que a França perdesse Milão bastasse, na primeira vez, que um Duque Ludovico rumorejasse nas fronteiras do principado; na segunda vez foi necessário que tivesse contra si todo o mundo e que seus exércitos fossem arruinados ou expulsos da Itália; o que nasceu das causas supracitadas. Apesar de tudo, especialmente à segunda vez, a verdade é que Milão foi- lhe tomado em definitivo.

As causas gerais da primeira ocupação e reconquista já foram expostas; resta ainda discorrer sobre a segunda e ver que remédios haveria e quais adotaria alguém que estivesse nas mesmas circunstâncias para melhor poder manter-se no domínio ocupado, o que não fez a França. Digo, portanto, que esses Estados, os quais se formam anexando- se a um Estado antigo o território ocupado, ou são da mesma província e mesma língua, ou não são. Se são da mesma província e têm a mesma língua, então grande é a facilidade para mantê-los, sobretudo quando não estão acostumados a viver livres; e, para mantê-los seguramente, basta apagar a linhagem do príncipe que dominava, porque nas outras coisas, mantendo-se-lhes as velhas condições e não lhes impondo disformidade de costumes, os homens viverão quietamente, como ocorreu na Borgonha, Bretanha, Gasconha e Normandia, que há tanto tempo estão anexadas à França; e ainda que haja qualquer disformidade de língua, os costumes similares permitem o fácil convívio entre eles. Quem os ocupa, querendo mantê-los, deve tomar duas providências: que o sangue do príncipe antigo se extinga; a outra, não alterar nem sua lei nem seus impostos. Agindo assim, forma, em brevíssimo tempo, um único corpo com o seu principado antigo.

Porém, quando se ocupa Estados em uma província disforme de língua, de costumes e de valores, aparecem as dificuldades; e aqui é preciso ter grande sorte e grande capacidade para mantê-la. Um dos melhores e mais eficazes remédios nesse sentido é que o ocupador vá habitá-la pessoalmente. Isso tornará mais segura e mais duradoura aquela possessão: como fez o turco na Grécia, o qual, com todas as outras providências tomadas por ele para manter aquele Estado, se não tivesse ido habitá-lo pessoalmente, não o manteria. Porque, estando presente, caso venham a nascer as desordens, imediatamente podem ser remediadas; não estando, são percebidas quando estão demasiadamente grandes, não havendo aí mais tratamento para elas. Além disso, a província não será espoliada pelos teus oficiais, pois, estando o príncipe próximo, os súditos têm a quem recorrer e, com isso, ficam satisfeitos; donde têm mais motivos para amá-lo, querendo ser bons e, querendo ser contrários, para temê-lo. Quem dos externos quisesse atacar esse Estado não o faria com destemor; portanto, habitando-o pessoalmente, dificilmente tu o perderás.

Um outro remédio muito bom é instalar colônias em um ou dois lugares que sirvam quase como algemas ao Estado ocupado, porque é necessário ou fazer isso, ou manter ali muita gente armada e infantaria. Com as colônias não se gasta muito, e sem despesas, ou pouca, manda-se e mantém-se; essa medida somente ofende aqueles de quem se toma as terras e as casas para dá-las aos novos habitantes, que são uma mínima parte daquele Estado; e aqueles que o príncipe ofende, permanecendo dispersos e pobres, não lhe podem mais prejudicar, e todos os demais permanecem inofensivos e quietos, pelo temor de que aconteça com eles o mesmo que aconteceu com a minoria espoliada. Concluo que essas colônias não custam, são mais fiéis, ofendem menos; e os ofendidos não podem fazer mal, estando pobres e dispersos, como disse. Pelo que se pode concluir que os homens ou se deve tratar bem ou apagá-los. Porque, ainda que possam vingar-se de pequenas ofensas, não o podem das definitivas; por isso, a ofensa que se faz a um homem deve ser de tal modo que não se tema a sua vingança. Se a tememos, estamos perdidos, pois na mudança de colonos e no deslocamento e alojamento de um exército numeroso se gasta muito mais, consumindo na guarda total do território todas as receitas daquele Estado; de modo que a ocupação vira prejuízo; e a ocupação total ofende muito mais, porque faz mal a todo aquele Estado, tornando cada um potencialmente inimigo; e são inimigos que lhe podem prejudicar, pois, ainda que batidos momentaneamente, permanecem unidos em sua própria casa. Sob qualquer perspectiva, portanto, a ocupação total é inútil, e a instalação de colônias em um ou dois lugares é útil.

Deve ainda aquele que ocupa uma província disforme fazer-se cabeça e defensor dos vizinhos menos poderosos, empenhar-se para enfraquecer os mais poderosos, cuidar para que, por nenhum acidente, não entre na província um estrangeiro tão poderoso como o próprio ocupador. E sempre acontecerá de alguém de fora ser chamado por aqueles que estão descontentes ou por excessiva ambição ou por medo: como se pode ver em relação aos etólios que chamaram os romanos para a Grécia; e em cada outra província que os romanos entraram, foram introduzidos pelos próprios provinciais. E a ordem da coisa é que, assim que um forasteiro poderoso entra em uma província, todas as potências menos poderosas mostram adesão ao ocupante, movidas pela inveja contra aquela que tem um poder superior ao seu na província ocupada: tanto que, a propósito dessas potências menores, o ocupador não terá a menor fadiga para cuidar delas, porque fazem, imediatamente e de boa vontade, um globo só com o Estado forasteiro. Há somente que pensar em que não assumam muita força e muita autoridade; e isso é facilmente possível, com a sua força e os favores delas, abaixando as que estão poderosas, permanecendo, em tudo, árbitro daquela província. Quem não governar bem esta parte perderá rapidamente aquilo que tiver conquistado; e, enquanto o mantiver, terá, na província, infinitas dificuldades e inconvenientes.

Os romanos, nas províncias que ocuparam, observaram bem essa parte: instalaram os colonos, ocuparam-se com os menos poderosos sem aumentar os seus poderes, abaixaram os poderosos e não permitiram que as potências estrangeiras tivessem reputação sobre as províncias ocupadas. E penso que me basta somente a província da Grécia como exemplo: foram seus introdutores os aqueus e os etólios; foi derrocado o reino da Macedônia; Antíoco foi perseguido; nem mesmo os méritos dos aqueus ou dos etólios fizeram com que tivessem acrescido algum estado; nem a persuasão de Filipe convenceu-os a serem amigos sem o enfraquecer; nem o poder de Antíoco pôde fazer com que consentissem que tivesse naquela província algum Estado. Porque os romanos fizeram, nesses casos, tudo aquilo que os príncipes sábios devem fazer, os quais não somente devem atentar para os conflitos presentes, mas também aos futuros, impedindo-os com toda a habilidade, já que, prevendo-se o amanhã, facilmente os conflitos podem ser remediados; contudo, esperando que a ti se apresentem, não haverá mais tempo para a cura, porque a doença tornou-se incurável. E ocorre com isso o que os médicos dizem acerca da tuberculose, que, no princípio da doença, é fácil de curar e difícil de reconhecer, mas, no progresso do tempo, não tendo sido no princípio conhecida e medicada, torna-se fácil de reconhecer e difícil de curar. O mesmo acontece nas coisas de Estado, porque, conhecendo o amanhã (o que não é dado senão a um príncipe prudente), os males que nele nascem são curados rapidamente; mas quando, pela ausência de conhecimento, crescem livremente até o ponto em que qualquer um os reconhece, não há mais qualquer remédio.

Porém os romanos, vendo os inconvenientes no amanhã, remediaram-nos sempre no presente e não deixaram nunca que aumentassem para fugir a uma guerra, porque sabiam que a guerra não se protela em vantagem própria, mas apenas em vantagem de outros. Na Grécia, fizeram guerra contra Filipe e Antíoco para não guerrear contra eles na Itália. E poderiam, por enquanto, fugir a uma e outra, o que não quiseram, desprezando aquilo que todo mundo diz e que está na boca dos sábios de nossos tempos, que se deveria colher os benefícios do tempo. Em vez disso, acharam melhor seguir o que lhes dizia a sua *virtù* e prudência, porque o tempo traz consigo todas as coisas e pode tanto trazer consigo o bem como o mal, e o mal como o bem.

Mas voltemos à França e examinemos se do que foi dito ela fez alguma coisa; e falarei de Luís, e não de Carlos, porque o primeiro, por ter ocupado a Itália mais longamente, pode ter suas ações melhor avaliadas; e veremos como ele fez o contrário daquelas coisas que se deve fazer para manter um Estado em uma província disforme.

O Rei Luís foi introduzido na Itália pela ambição dos venezianos, que desejavam ganhar metade do Estado da Lombardia com aquela vinda. Eu não quero reprovar essa decisão tomada pelo rei, porque, querendo começar a pôr um pé na Itália, e não tendo amigos nessa província, ao contrário, sendo-lhe, pelas ações do Rei Carlos, fechadas todas as portas, foi forçado a fazer aquelas amizades que se lhe ofereciam. E teria alcançado o objetivo, se nas outras decisões não tivesse feito erro nenhum. Tendo, então, o rei ocupado a Lombardia, recuperou rapidamente a reputação que lhe havia tomado Carlos: Gênova cedeu; os florentinos tornaram-se amigos; marquesa de Mântova, duque de Ferrara, Bentivogli, senhora de Forli, senhor de Faenza, de Pesaro, de Rimini, de Camerino, de Piombino, Lucchesi, Pisani, Sanesi, todos foram ao seu encontro para ser seus amigos. Logo os venezianos puderam considerar a temeridade do que haviam feito, os quais, para assenhorar-se de metade da Lombardia, fizeram o rei senhor de um terço da Itália.

Veja-se com quão pouca dificuldade poderia o rei manter sua reputação na Itália, se ele tivesse observado a regra anteriormente exposta e tivesse assegurado proteção e defendido todos aqueles seus amigos, os quais, por serem em grande número, fracos e medrosos, seja da Igreja, seja dos venezianos, estariam sempre necessitados da ajuda do rei. E por seu meio poderia proteger-se facilmente contra os que ainda restavam grandes. Mas ele, nem bem chegou a Milão, fez o contrário, dando ajuda ao Papa Alexandre para que ocupasse a Romanha. Não lhe ocorreu, com essa decisão, que enfraquecia a si mesmo, afastando os amigos e aqueles que lhe pediram proteção, e, por outro lado, engrandecendo a Igreja, somando ao seu poder espiritual, que já lhe dá tanta autoridade, imenso poder temporal. E feito um primeiro erro, foi obrigado a seguir errando. Tanto que, para colocar fim à ambição de Alexandre e impedir que se tornasse senhor da Toscana, foi obrigado ele próprio a entrar na Itália. Não lhe bastou engrandecer a Igreja e perder os amigos; por querer o reino de Nápoles, divide-o com o rei da Espanha; e onde ele era, antes, árbitro da Itália, arranjou um companheiro e, com isso, permitiu que os ambiciosos daquela província e os descontentes com o rei da França tivessem agora a quem recorrer. E ainda que pudesse deixar naquele reino um rei que fosse seu pensionário, tirou-o e criou, por sua culpa e erro, um que viria a expulsá-lo da Itália.

O desejo de conquista é coisa verdadeiramente muito natural e comum entre os homens; e sempre, quando os homens fazem o que podem, serão louvados ou não criticados; mas quando não podem e querem fazê-lo de qualquer modo, aqui está o erro e o motivo da desaprovação que recebem. Se a França podia, portanto, com as suas próprias forças tomar o reino de Nápoles, devia fazê-lo; se não podia, não devia dividi-lo. E se fez a divisão, com os venezianos, da Lombardia, foi porque, desse modo, pôs os pés na Itália. No entanto, essa desculpa não é válida para a divisão de Nápoles, pois aqui não havia mais aquela necessidade.

O Rei Luís incorreu, portanto, nestes cinco erros: não protegeu os pequenos Estados; acrescentou, na Itália, poder a um poderoso; trouxe para a província um estrangeiro poderosíssimo; não a habitou pessoalmente; não instalou colônias. E tais erros ainda poderiam, enquanto viveu, não prejudicá-lo em definitivo, se não tivesse cometido o sexto: tomar o Estado dos venezianos; porque, se não tivesse engrandecido a Igreja, nem trazido a Espanha para a Itália, seria bem razoável e necessário abaixar os venezianos. Mas tendo tomado, equivocadamente, o partido da Igreja e da Espanha, não deveria agora consentir na ruína dos venezianos, porque, sendo estes poderosos, teriam impedido que outros empreendessem na região da Lombardia; seja porque os venezianos não teriam consentido sem os atacar; seja porque os outros não quereriam tomar a Lombardia da França para entregá-la aos venezianos; e não haveria ânimo para um embate com a França e os venezianos. E se alguém dissesse: o Rei Luís cedeu a Romanha a Alexandre e o Reino de Nápoles à Espanha para evitar uma guerra, respondo com as razões acima apresentadas: que não se deve nunca deixar seguir uma desordem das coisas para evitar uma guerra; porque de uma guerra não se foge, mas apenas é retardada em tua própria desvantagem. E se outros alegassem sobre a promessa que o rei havia feito ao papa, em fazer por ele aquela empresa em troca da dissolução de seu matrimônio e do chapéu de Ruão, remeto a resposta ao que direi mais adiante sobre a palavra dos príncipes e como deve ser observada. O Rei Luís perdeu, portanto, a Lombardia por não ter observado algumas daquelas regras observadas por outros que ocuparam províncias e conseguiram mantê-las. O que não é nada extraordinário, mas muito frequente e previsível. E desse assunto falei em Nantes com o cardeal de Ruão, quando o Valentino (como era chamado popularmente César Bórgia, filho do Papa Alexandre) ocupava a Romanha. Dizendo-me o cardeal de Ruão que os italianos não entendiam de guerra, eu lhe respondi que os franceses não entendiam de Estado, porque, se entendessem, não teriam deixado que a Igreja se tornasse tão grande. E por experiência se viu que a grandeza, na Itália, da Igreja e da Espanha foi causada pela França, e sua ruína causada por eles. Daqui se cava uma regra geral, a qual nunca ou raramente falha: quem é a causa de outro se tornar poderoso se arruína, porque esse poder provém ou da astúcia ou da força, e uma e outra dessas duas são suspeitas quando são a causa do poder alheio.

IV
Por que motivo o reino de Dario, ocupado por Alexandre, não se rebelou contra seus sucessores após a morte de Alexandre

Considerando a dificuldade que se tem para manter uma província recém-ocupada, alguém poderia admirar-se do fato de que, após a morte de Alexandre Magno, toda a província da Ásia, ocupada por ele em poucos anos, não se rebelasse contra os seus sucessores, como seria razoável pensar. No entanto, os sucessores de Alexandre mantiveram-se no poder; e não tiveram, para tanto, outra dificuldade senão a ambição própria que havia entre eles mesmos. Respondo que os principados dos quais se tem memória são governados de dois modos diversos: ou por um príncipe e todos os demais submetidos, os quais como ministros, por graça e concessão do príncipe, ajudam-no a governar aquele reino; ou por um príncipe e barões, os quais, não pela graça do príncipe, mas pela antiguidade do sangue têm aquele posto. Esses barões têm Estados e súditos próprios, os quais reconhecem o barão como senhor e são a ele naturalmente afeiçoados. Aqueles Estados que são governados por um príncipe e seus ministros têm o seu príncipe como maior autoridade, porque em todo o domínio não há ninguém que se reconheça como superior, a não ser o príncipe; e, se os súditos obedecem a algum outro, o fazem como ministro e funcionário, mas não lhe devotam qualquer afeição.

Os exemplos dessas duas diversidades de governos são, nos nossos tempos, o turco e o rei da França. Toda a monarquia do turco é governada por um único senhor; os outros são os seus ministros; o seu reino está dividido em províncias, às quais manda diversos administradores, e os muda e varia como bem entende. Mas o rei da França está situado em meio a uma multitude antiquada de senhores, reconhecidos por seus súditos e amados por eles: os barões têm as suas preeminências. O rei não pode tirá-los sem perigo para si mesmo. Quem considera, portanto, sobre um e outro desses Estados encontraria dificuldade na ocupação do Estado do turco, mas, vencido que seja, grande facilidade para mantê-lo. Por outro lado, encontraria, sob qualquer aspecto, mais facilidade para ocupar o Estado da França, mas grande dificuldade para mantê-lo.

As causas da dificuldade na ocupação do reino do turco devem ser buscadas no fato de não se poder ser chamado de príncipe daquele reino sem destruir o príncipe natural e nem esperar, com a rebelião de seus ministros, que a empresa do ocupante seja facilitada. O que nasce das razões acima expostas, porque, sendo-lhe todos submissos e dependentes, dificilmente serão corrompidos; e, quando isso acontece, são pouco úteis, pois não têm aqueles vínculos diretos com o povo. Donde, quem ataca o turco precisa ter presente que haverá de encontrar o reino totalmente unido, e que lhe convém esperar mais das suas próprias forças do que da desordem dos outros. Mas, vencido que seja, e arrasado na batalha de modo que não possa refazer os exércitos, nada restaria para colocar em dúvida a autoridade do ocupador a não ser o sangue da família real; e, uma vez derramado, não restaria ninguém a quem temer, pois os ministros não têm crédito, como vimos, com a população: e como o vencedor, antes da vitória, não podia esperar nenhuma facilidade deles, assim não deve, depois da vitória, temê-los.

O contrário acontece nos reinos governados como aquele da França, porque com facilidade se pode entrar, ganhando a simpatia de algum barão do reino, pois sempre se encontram descontentes e aqueles que têm desejo de inovação; estes, pelas razões já expostas, podem abrir-te o caminho para aquele Estado e facilitar-te a vitória. Posteriormente, querendo mantê-lo, aparecem inúmeras dificuldades, tanto com aqueles que te ajudaram como com aqueles que oprimiste. Nem te bastaria derramar o sangue do príncipe, porque permaneceriam os barões que se fariam cabeça de novas alterações; e não os podendo contentar nem destruir, perderias o Estado na primeira ocasião propícia a eles.

Ora, se considerares de que natureza era o reino de Dario, concluirás que é semelhante ao reino do turco. E ainda que a Alexandre tenha sido necessário, inicialmente, saqueá-lo e arrasá-lo na batalha, depois dessa vitória, e com a morte de Dario, manteve o Estado seguro pelas razões acima expostas. E os seus sucessores, se tivessem permanecido unidos, poderiam governá-lo sem muito esforço, pois naquele reino não houve outras dificuldades a não ser as criadas por eles próprios. Mas nos Estados organizados como o da França é impossível manter o poder com tanta tranquilidade. As frequentes rebeliões contra os romanos na Espanha, na França e na Grécia eram devidas aos muitos principados que existiam nessas províncias, nas quais, enquanto durou a memória dos príncipes locais, os romanos sempre estiveram incertos de suas possessões. Mas, apagada essa memória, com o poder e a presença constante do império, tornaram-se seguros possuidores. E puderam também, os generais romanos, combatendo depois entre si, contar com o apoio daquelas províncias, segundo a autoridade que se havia fixado em cada uma delas; e os provinciais, por ter sido o sangue de seus antigos senhores apagado, não reconheciam senão os romanos como seus senhores. Considerando, portanto, tudo isso, ninguém deve admirar-se com a facilidade que teve Alexandre para manter o Estado da Ásia e com a dificuldade que têm tido outros para manter o que foi ocupado, como Pirro e muitos. O que não nasce da muita ou pouca *virtù* do ocupador, mas da disformidade de ocasiões.

V
De que modo são mantidas cidades ou províncias que, antes da ocupação, viviam sob suas próprias leis

Quando aqueles Estados que são ocupados estão acostumados a viver com suas próprias leis e em liberdade, querendo mantê-los, três são os modos: o primeiro, arruiná-los; o outro, habitá-los pessoalmente; o terceiro, deixá-los viver com as suas leis, cobrando-lhes um tributo e criando um Estado de poucos que te conservem amigo. Porque, sendo tal Estado criado pelo ocupador, os poucos que governarão a província sabem que não podem ficar sem o poder e a amizade do príncipe e que este tudo fará para manter seu domínio; e mais facilmente se mantém uma cidade acostumada a viver livre por meio de seus cidadãos do que de algum outro modo, querendo preservá-la.

Os exemplos aqui são os espartanos e os romanos. Os espartanos, para manter Atenas e Tebas, criaram um Estado de poucos, mas perderam-nas. Os romanos, para manter as províncias de Cápua, Cartago e Numância, desfizeram-nas e não as perderam; querendo manter a Grécia quase como a mantiveram os espartanos, deixando-a livre e sob as suas próprias leis, não tiveram sucesso, de modo que foram obrigados a destruir muitas cidades daquela província para mantê-la. Porque aqui, na verdade, não há modo seguro de manutenção senão pela ruína. E quem se torna senhor de uma cidade acostumada a viver livre, e não a desfaz, deve esperar ser desfeito por ela, porque os cidadãos sempre têm por refúgio, na rebelião, o nome da liberdade e sua ordem antiga, as quais jamais são esquecidas, nem com a longa duração do tempo nem com os benefícios da nova ordem. E, por mais que se faça ou se proveja, se os habitantes não são dissipados ou desunidos, se não esquecem aquele nome e as antigas leis, então a ambos recorrem imediatamente a cada acidente, como ocorreu com Pisa depois de cem anos submetida à servidão pelos florentinos. Mas quando as cidades ou as províncias estão acostumadas a viver sob o comando de um príncipe, e seu sangue tenha sido apagado, sendo de um lado os populares acostumados a obedecer, e não havendo, de outro lado, o príncipe hereditário, observa-se que não conseguem um acordo entre si para escolher um substituto e que não sabem viver em liberdade. De modo que são os últimos a pegar em armas, e com mais facilidade pode um príncipe ganhar a sua confiança e assenhorar-se deles. Mas nas repúblicas é maior a vida, maior o ódio, há mais desejo de vingança; não se deixa nem se pode deixar repousar a memória da antiga liberdade: de forma que o modo mais seguro de mantê-las é arruiná-las ou habitá-las.

VI
Dos principados totalmente novos conquistados com armas próprias e *virtù*

Não estranhe alguém se, ao falar dos principados totalmente novos, tanto em relação ao príncipe como em relação ao tipo de Estado, eu apresentar grandíssimos exemplos, porque, caminhando os homens quase sempre na trilha batida por outros e procedendo imitativamente em suas ações, ainda que não possam manter-se totalmente na trilha dos outros, ainda que não possas chegar à mesma *virtù* daquele que tu imitas, deve um homem prudente entrar sempre na trilha batida pelos grandes homens, e imitar aqueles que são tidos como excelentíssimos, a fim de que, se a sua *virtù* não alcança, pelo menos lhe renda algum odor; e fazer como os arqueiros prudentes, aos quais parecendo o alvo que pretendem atingir demasiadamente distante, e conhecendo detalhadamente a quanto vai a *virtù* de seu arco, apontam a mira mais acima do local destinado, não para alcançar tamanha altura com a sua flecha, mas para poder, com a ajuda de sua mira alta, atingir seu próprio alvo.

Digo, portanto, que nos principados totalmente novos, onde há um novo príncipe, encontra-se mais ou menos dificuldade na sua manutenção, segundo a maior ou menor *virtù* de seu ocupador. E porque esse evento de tornar-se, de pessoa privada, príncipe, pressupõe ou *virtù* ou fortuna, parece que uma ou outra dessas duas coisas atenuaria, em parte, as dificuldades. No entanto, aquele que depende menos da fortuna tem-se mantido mais longamente. Gera ainda facilidade o fato de o príncipe ter que, por não possuir outros Estados, habitá-lo pessoalmente. Mas referindo-me àqueles que pela própria *virtù* e não pela fortuna tornaram-se príncipes, afirmo que os mais excelentes são Moisés, Ciro, Rômulo, Teseu e semelhantes. Ainda que de Moisés não se deva falar aqui, sendo somente um mero executor das coisas que lhe eram ordenadas por Deus, também deve ser admirado somente por aquela graça que o fazia digno de falar com Deus. Mas falemos de Ciro e dos outros que têm ocupado ou fundado reinos: são todos admiráveis e, se examinarmos suas ações e suas decisões particulares, veremos que não discrepam das de Moisés, que tinha tão grande preceptor. E examinando as ações e a vida de todos eles, não se vê que tivessem outra coisa da fortuna senão a ocasião, a qual forneceu a matéria para que aqueles pudessem introduzir nela a forma que lhes convinha; e sem aquela ocasião a sua *virtù* teria sido apagada, e sem aquela *virtù* a ocasião teria vindo em vão.

Era, portanto, necessário a Moisés encontrar o povo de Israel, no Egito, escravo e oprimido pelos egípcios, a fim de que aqueles, para saírem da servidão, dispusessem-se a segui-lo. Convinha que Rômulo não coubesse em Alba, que fosse abandonado ao nascer, para que se tornasse rei de Roma e fundador daquela pátria. Precisava que Ciro encontrasse os persas descontentes com o império dos medas, e os medas moles e efeminados devido a uma longa paz. Não poderia Teseu demonstrar a sua *virtù* se não encontrasse os atenienses dispersos. Essas ocasiões, portanto, fizeram esses homens felizes, e sua excelente *virtù* fez aquela ocasião ser conhecida; e, por isso, as suas pátrias foram enobrecidas e tornaram-se felicíssimas.

Aqueles que, pelo caminho da *virtù*, como estes, tornam-se príncipes, ocupam o principado com dificuldade, mas com facilidade o mantêm. E a dificuldade que têm nasce, em parte, da nova ordem e das medidas que são forçados a introduzir para fundar, com segurança, o seu Estado. E deve-se considerar como não há coisa mais difícil de tratar, de êxito mais incerto, nem mais perigosa de manejar do que fazer-se cabeça na introdução de uma nova ordem, porque o introdutor tem como inimigos todos aqueles aos quais a velha ordem faz bem e tem como frouxos defensores todos aqueles a quem a nova ordem faria bem. Frouxidão que nasce em parte pelo medo dos adversários, que têm as leis ao seu lado, em parte pela incredulidade dos homens, os quais não creem, na verdade, em coisas novas, se não as veem apoiadas em uma firme experiência; donde resulta que, quando aqueles que são inimigos têm a ocasião de atacar o introdutor, fazem-no partidariamente, e os outros o defendem frouxamente: de modo que junto com eles se está em perigo. É necessário, portanto, querendo analisar bem esse tema, examinar se esses inovadores estão por si mesmos ou se dependem de outros, isto é, se para conduzirem a sua obra precisam de ajuda alheia, ou se têm a sua própria milícia. No primeiro caso, falham, não chegando a lugar algum, mas, quando dependem de si mesmos e têm a sua própria força, então raramente falham. Eis por que todos os profetas armados foram vitoriosos, e os desarmados arruinados. Porque, além do que já foi dito, a natureza do povo é mutante; é fácil persuadi-lo de alguma coisa, mas é difícil firmá-lo naquela persuasão; nesse sentido, convém estar organizado de modo que, quando o povo se mostra descrente, possa-se fazê-lo crer pela força. Moisés, Ciro, Teseu e Rômulo não teriam conseguido fazer com que suas constituições fossem longamente observadas se estivessem desarmados: ao contrário do que aconteceu ao Frei Gerônimo Savonarola, o qual teve a sua nova ordem arruinada quando a multidão começou a não mais acreditar nele; e não tinha nenhum outro modo para firmar a opinião dos que nele haviam acreditado, nem de fazer crer os descrentes. Tais introdutores encontram grande dificuldade em seus primeiros passos, pois todos os seus perigos estão no trajeto inicial, e convém que com a *virtù* os superem. Porém, assim que os tenham superado, e começando a ser venerados, havendo afastado os que lhe tinham inveja, mantêm-se poderosos, seguros, honrados, felizes.

A esses altos exemplos quero acrescentar um exemplo menor, mas ainda proporcional aos maiores, e penso que basta para entender todos os outros similares: e este é Hiero de Siracusa, que, de cidadão privado, tornou-se príncipe de Siracusa; não recebeu outra coisa da fortuna senão a ocasião, porque, estando os siracusanos oprimidos, elegeram-no para o seu capitão, onde meritou até ser feito príncipe. E demonstrou tanta *virtù*, ainda como cidadão privado, que dele se dizia: "Nada lhe falta para reinar, exceto o reino". Como príncipe, dispensou a velha milícia, organizou a nova; abandonou as velhas amizades, fortaleceu as novas; e como, então, tivesse amigos e soldados que eram verdadeiramente seus, pôde, com tal fundamento, edificar todo o edifício: de modo que lhe custou muita fadiga a ocupação do principado e pouca a sua manutenção.

VII
Dos principados totalmente novos conquistados por meio das armas alheias e da fortuna

Aqueles que somente pela fortuna tornaram-se, de pessoa privada, príncipe, com pouca fadiga ocupam o principado, mas com muita o mantêm. E não têm qualquer dificuldade a caminho, porque chegam voando. Mas as dificuldades nascem quando pousam; e esses principados são aqueles em que um Estado é concedido a alguém ou por dinheiro ou pela graça de outro; como aconteceu com muitos na Grécia, nas cidades de Jônia e de Helesponto, onde foram feitos príncipes de Dario, a fim de que as mantivessem para sua segurança e glória; assim também eram feitos aqueles imperadores que, de pessoas privadas, pela corrupção dos soldados, chegavam ao império. Esses príncipes estão sempre sob a vontade e a sorte de quem lhes concedeu o Estado, o que são duas coisas volubilíssimas e instabilíssimas, e não sabem e não podem manter aquele posto. Não sabem porque, se não é homem de grande astúcia e *virtù*, não é razoável que, tendo sempre vivido privadamente, saiba comandar; não podem porque não têm força que lhes possa ser amiga e fiel. Além disso, os Estados que nascem subitamente, como todas as outras coisas da natureza que nascem e crescem rapidamente, não desenvolvem as suas raízes correspondentes; de modo que, ao primeiro tempo adverso, tombam; a menos que aqueles, como disse, que assim de repente são feitos príncipes, sejam de tanta *virtù* com aquilo que a fortuna assentou em seu colo e, por isso, saibam fazer depois aqueles fundamentos que os outros têm feito antes de se tornarem príncipes.

Eu quero, para um e outro desses modos de tornar-se príncipe, apresentar dois exemplos de nossa memória recente: e estes são Francisco Sforza e César Bórgia. Francisco, pelos meios devidos e com sua grande *virtù*, de pessoa privada tornou-se duque de Milão; e aquilo que com mil dificuldades ocupou com pouca fadiga manteve. Por outro lado, César Bórgia, chamado pelo vulgo de Duque Valentino, ocupou o Estado com a fortuna do pai e com ela o perdeu; não obstante, nesse meio-tempo, tivesse feito tudo que um homem prudente e com *virtù* deveria fazer para introduzir as suas raízes naquele Estado que as armas e a fortuna de outros lhe haviam concedido. Porque, como anteriormente se disse, quem não faz os fundamentos antes da ocupação, pode com uma grande *virtù* fazê-los depois, ainda que sejam feitos com pressão sobre o arquiteto e perigo para o edifício. Se, portanto, se consideram todos os avanços do duque, se verá que ele lançou bons fundamentos para a futura potência; sobre os quais não julgo supérfluo discorrer, porque eu não saberia quais preceitos seriam melhores para dar a um príncipe novo que o exemplo de suas ações: e, se não alcançou a glória, não foi sua culpa, pois nasceu de uma extraordinária e extrema malignidade da fortuna.

Alexandre VI, no desejo de fazer grande o duque seu filho, tinha dificuldades relativas ao presente e ao futuro. Primeiramente, ele não via maneira de fazê-lo senhor de algum Estado que não fosse partidário da Igreja; e, se isso tentasse, sabia que o duque de Milão e os venezianos não consentiriam, porque Faenza e Rimini já estavam sob a proteção dos venezianos. Via, além disso, as armas da Itália, e especialmente aquelas que poderiam servi-lo, nas mãos daqueles que temeriam a grandeza do papa: e, contudo, não podia confiar neles, sendo todos votados aos Orsini e Colonnesi e seus cúmplices. Era, portanto, necessário que se turbasse aquela ordem das coisas e que se desorganizassem os seus Estados, para poder assenhorar-se seguramente de parte deles. O que lhe foi fácil, porque encontrou os venezianos que, movidos por outras razões, estavam voltados a repassar os franceses para a Itália; o papa não somente não se opôs, como também o tornou mais fácil com a dissolução do matrimônio antigo do Rei Luís. Passou, portanto, o rei na Itália com a ajuda dos venezianos e o consenso de Alexandre. Nem bem o rei chegou a Milão, o papa dele obteve tropas para a empresa na Romanha; Estado que lhe foi concedido, em última análise, pela reputação do rei. Ocupada, então, a Romanha pelo duque, tendo abatido os Colonnesi, querendo manter aquela situação e seguir mais adiante, duas coisas o impediam: uma, suas tropas, que não lhe pareciam fiéis, a outra, a vontade da França: isto é, que as tropas dos Orsini, dos quais se havia valido, abandonassem-no, que não somente o impedissem de conquistar, mas lhe retirassem o conquistado, e ainda que a vontade da França fosse a de lhe fazer o mesmo. Dos Orsini recebeu uma prova quando, após a expugnação de Faenza, atacou Bolonha e os viu pouco empenhados naquele ataque: e quanto ao rei, conhece o seu ânimo quando, ocupado o ducado de Urbino, atacou a Toscana, de cuja empresa o rei o fez desistir. Ocasião em que o duque decidiu não mais depender das forças alheias e da fortuna. E, como primeira medida, enfraqueceu os partidos Orsini e Colonnesi em Roma; conquistou todos os partidários que fossem pessoas honradas, fazendo-os seus conselheiros, dando a eles altos salários e honrando-os, segundo as suas qualidades de comando e de governo. De modo que em poucos meses os seus laços de afeição com os Orsini e os Colonnesi se apagaram, e todos se voltaram para o duque. Depois disso, esperou a ocasião para aniquilar os cabeças dos Orsini, havendo dispersado aqueles da casa Colonna; ocasião que lhe veio bem, e ele a usou melhor ainda. Porque vendo os Orsini, tarde, que a grandeza do duque e da Igreja eram a sua própria ruína, fizeram uma reunião em Magione, na região de Perugia, da qual nasceu a rebelião de Urbino e os tumultos da Romanha e infinitos perigos para o duque, todos os quais superou com a ajuda dos franceses. E retornada-lhe a reputação, nem se fiando na França nem em outra força externa, para não depender de mais ninguém, volta-se à dissimulação. E soube tão bem dissimular o seu intento, que os mesmos Orsini, mediante o senhor Paulo, reconciliaram-se com ele; o duque, por sua vez, não faltou com qualquer preparativo para convencê-los, dando-lhes dinheiro, roupas finas e cavalos; em sua ingenuidade, os Orsini foram conduzidos a Sinigália pelas mãos do duque. Mas, em seguida, essas cabeças foram apagadas na presença do duque, e os partidários reduzidos aos amigos seus, tendo o duque lançado muito bons fundamentos para a manutenção do seu poder, possuindo toda a Romanha e o ducado de Urbino, parecendo-lhe, acima de tudo, ter conquistado a amizade dos romanhenses e ganho todo aquele povo, pelo fato de eles terem começado a aprovar o bem de ser dele.

E, porque essa parte é digna de nota e de ser imitada por outros, não a quero deixar para trás. Mantida a Romanha pelo duque, mas encontrando-a, anteriormente, comandada por senhores impotentes, os quais mais espoliaram os súditos do que os bem governaram, e dando a eles motivo de desunião, não de união, tanto que naquela província eram comuns os latrocínios, as brigas e tantos outros motivos de insolência, julgou, o duque, que fosse necessário, querendo reduzi-la à paz e à obediência do braço real, dar-lhes bom governo. Enviou-lhes o ministro Remirro de Orco, homem cruel e expedito, ao qual deu plenos poderes. Este, em pouco tempo, a reduz à paz e à unidade, porém com a reputação de homem cruel. Depois, o duque julgou não ser necessária assim excessiva autoridade, porque temia que se tornasse odiosa, e propôs um tribunal civil em plena província, com um presidente excelentíssimo, onde cada cidade tinha o seu advogado. E porque sabia que a rigorosidade passada tinha-lhe gerado um certo ódio, para purgar os ânimos da população e ganhá-la de vez, queria mostrar que, se alguma crueldade havia sido praticada, não nascera dele, mas da natureza exacerbada do ministro. E preso sob esse pretexto, certa manhã, em Cesena, fez com que o expusessem em dois pedaços na praça da cidade, com uma estaca de madeira e um cutelo ensanguentado ao lado. A ferocidade daquele espetáculo fez com que a população ficasse, ao mesmo tempo, satisfeita e estupefata.

Mas voltemos de onde partimos. Digo que, encontrando-se o duque deveras poderoso e em parte seguro dos perigos do presente, por ter-se armado com forças próprias e ter destruído as forças vizinhas que lhe poderiam atacar, restava-lhe, querendo manter o conquistado, o respeito do rei da França, porque sabia que o rei, o qual já tarde havia se acordado do seu erro, não mais lhe daria suporte. E começou, por isso, a cercar-se de novas amizades e a vacilar na fidelidade com a França, na expedição que fizeram os franceses ao reino de Nápoles contra os espanhóis que assediavam Gaeta. E seu propósito era estar seguro perante ambos, o que teria logo alcançado, se Alexandre vivesse.

E estas foram as suas ações relativas às coisas do presente. Mas quanto ao futuro, ele teria que temer, primeiramente, que o novo sucessor da Igreja não lhe fosse amigo e procurasse lhe retirar aquilo que Alexandre lhe havia dado. Do que pensou assegurar-se de quatro modos: primeiro, apagar todos os sangues daqueles senhores que ele havia espoliado, para tolher ao papa aquela ocasião; segundo, ganhar todos os cavaleiros de Roma, como disse, para poder, através destes, ter o papa nos freios; terceiro, reduzir a autonomia do colégio dos cardeais o máximo possível; quarto, conquistar tanto império, antes que o papa morresse, que pudesse por si mesmo resistir a um primeiro ataque. Dessas quatro coisas, havia conseguido três por ocasião da morte de Alexandre; e a quarta, quase; porque dos senhores espoliados destruiu quantos pôde reunir, e pouquíssimos se salvaram; os cavaleiros romanos o apoiavam, e no colégio tinha grande parte: e, quanto ao novo domínio, havia planejado tornar-se senhor da Toscana e possuía já Perugia e Piombino, e Pisa havia-lhe pedido a proteção. E como não precisasse mais temer os franceses (e não precisava mais, porque os franceses foram desapossados do reino de Nápoles pelos espanhóis, de modo que a ambos era necessário comprar a sua amizade), o duque ocupou Pisa. Depois disso, Lucca e Siena cederam subitamente, em parte pela inveja dos florentinos, em parte por medo; os florentinos não teriam saída: o que lhe teria sido possível em breve, já que, no mesmo ano da morte de Alexandre, conquistara tanta força e tanta reputação que podia conduzir-se por si mesmo, e não dependia mais da fortuna e dos exércitos dos outros, mas do seu poder e da sua *virtù*.

Porém, Alexandre morreu depois de cinco anos que o duque havia começado a empunhar a espada. Deixou-o somente com o Estado da Romanha solidificado, com todos os outros no ar, entre dois poderosíssimos exércitos inimigos, e ele próprio mortiferamente doente. E havia no duque tanta fibra e tanta *virtù*, e tão bem conhecia como os homens se ganhavam ou se perdiam, e tão válidos eram os fundamentos que em tão pouco tempo havia construído que, se não tivesse aqueles exércitos às costas, e ele estivesse com saúde, teria vencido a cada dificuldade. E que os fundamentos fossem bons se vê pelo seguinte: a Romanha o esperou por mais de um mês; em Roma, ainda que meio vivo, esteve seguro; e ainda que Baglioni, Vitelli e Orsini tenham vindo a Roma, não encontraram seguidores contra ele: poderia ter feito papa senão quem quisesse, pelo menos quem não quisesse. Mas se, na ocasião da morte de Alexandre, estivesse são, cada coisa lhe seria fácil. E ele me disse, no dia em que foi criado Júlio II, que havia pensado sobre o que lhe poderia nascer, morrendo o pai, e que para tudo havia encontrado remédio, exceto que não pensou jamais que na ocasião da morte do pai nasceria também a sua própria morte.

Recolhendo eu, portanto, todas as ações do duque, não encontro onde repreendê-lo; antes me parece, como o fiz, de propô-las como imitáveis a todos aqueles que pela fortuna e com as armas dos outros ascendem ao império. Porque ele, tendo grande fibra e elevados propósitos, não poderia agir de outro modo; e somente se opôs aos seus projetos a brevidade da vida de Alexandre e a sua própria doença. A quem, portanto, julga necessário em seu principado novo assegurar-se dos inimigos, preservar os amigos, vencer ou pela força ou pela fraude, fazer-se amado e temido pela população, seguido e reverenciado pelos soldados, apagar aqueles que te podem ou devem ofender, mudar com novos métodos a velha ordem, ser severo e grato, magnânimo e liberal, apagar a milícia infiel, criar a nova, manter a amizade de reis e príncipes de modo que te beneficiem com graça ou te ofendam com respeito, não posso encontrar exemplos mais apropriados do que as suas ações. Somente se pode acusá-lo da criação do pontífice Júlio, na qual ele fez má escolha, porque, como disse, não podendo fazer um papa a seu modo, podia impedir que alguns não o fossem; e não deveria jamais consentir o papado àqueles cardeais aos quais havia ofendido, ou que, eleitos papas, deveriam ter medo dele. Porque os homens ofendem ou por medo ou por ódio. Aqueles que ele havia ofendido eram, entre todos, San Piero ad Vincula, Colonna, San Giorgio, Ascanio; todos os outros, eleitos papas, haveriam de temê-lo, exceto Ruão e os espanhóis: estes, por laços de parentesco e por gratidão; aquele, por poder, pois tinha ao seu lado o reino da França. Portanto, antes de tudo, o duque deveria criar um papa espanhol e, não podendo, deveria consentir que fosse Ruão e não San Piero ad Vincula. E se engana quem crê que entre os grandes personagens os novos benefícios fazem esquecer as velhas injúrias. Errou, portanto, o duque nessa eleição e foi, por isso, a causa de sua última ruína.

VIII
Dos que chegaram ao principado por meios celerados

Mas porque há ainda duas maneiras de o cidadão privado tornar-se príncipe, e que não podem ser atribuídas totalmente à fortuna ou à *virtù*, não me parece que devam ser deixadas para trás, ainda que de uma se possa mais amplamente raciocinar onde se trata das repúblicas. Estas são ou quando por qualquer via celerada e nefasta se ascende ao principado, ou quando um cidadão privado com o favor dos demais cidadãos torna-se príncipe de sua pátria. E, falando do primeiro modo, mostrarei dois exemplos, um antigo, o outro moderno, sem entrar nos méritos desse modo, porque eu julgo que bastaria, a quem estivesse necessitado, imitar os exemplos apresentados.

Agátocles Siciliano, não só de cidadão privado, mas de ínfima e abjeta fortuna, tornou-se rei de Siracusa. Filho de um oleiro, teve sempre, nos diferentes degraus etários, vida celerada. Todavia, seus atos celerados foram acompanhados por tanta *virtù* de ânimo e de corpo que, voltando-se à milícia, pelos degraus dessa, vem a ser pretor de Siracusa. Empossado comandante, e tendo deliberado tornar-se príncipe e fundar com violência e sem compromissos com os outros aquilo que lhe poderia ser concedido por acordo, arquitetou o seu plano com Amílcar Cartaginês, o qual com seus exércitos militava na Sicília, e, certa manhã, reuniu o povo e o Senado de Siracusa, como se ele tivesse que deliberar coisas pertinentes à república; e, a um sinal combinado, ordenou que seus soldados matassem todos os senadores e os mais ricos do povo; mortos estes, ocupou e manteve o principado daquela cidade sem qualquer controvérsia civil. E ainda que tivesse sido duas vezes derrotado pelos cartagineses e, por fim, cercado, não somente conseguiu defender a sua cidade, mas, deixando parte de seu exército na defesa contra o assédio dos cartagineses, com a outra atacou a África e, em pouco tempo, libertou Siracusa do assédio e reduziu os cartagineses a um quadro de extrema necessidade: e foram obrigados a fazer acordo com ele, contentando-se com as possessões da África, e a deixar com Agátocles a Sicília. Quem considerasse, portanto, as ações e a vida dele não veria coisa, ou pouca, que pudesse atribuir à fortuna; não é pouco, como disse acima, que, não por favor de alguém, mas pelos degraus da milícia, os quais com mil apertos e perigos havia escalado, chegar ao principado, e depois mantê-lo apesar de tanta rivalidade e perigos. Não se pode, no entanto, chamar de *virtù* massacrar os seus cidadãos, trair os amigos, ser sem fé, sem piedade, sem religião: meios que permitem conquistar império, mas não glória. Porque, caso se considerasse a *virtù* de Agátocles no entrar e no sair de perigos, e sua grandeza de ânimo em suportar e superar as adversidades, não se veria por que ele devesse ser julgado inferior a qualquer excelentíssimo comandante; todavia, a sua feroz crueldade e inumanidade, com infinitos atos celerados, não permitem que seja celebrado entre os excelentíssimos homens. Não se pode, portanto, atribuir à fortuna ou à *virtù* aquilo que sem uma e outra foi conseguido por ele.

Em nossos tempos, durante o reinado de Alexandre VI, Oliverotto de Fermo, órfão de pai, foi adotado por um tio materno, chamado Giovanni Fogliani, e nos primeiros tempos de sua juventude militou sob o comando de Paulo Vitelli, para que, repleto daquela disciplina, chegasse a um excelente posto daquela milícia. Morto depois, Paulo militou sob o comando de seu irmão Vitellozzo e, em brevíssimo tempo, por ser engenhoso e impetuoso, ocupou o primeiro posto daquela milícia. Mas parecendo-lhe coisa servil o estar com outros, planejou ocupar Fermo, com o favor vitellesco e com a ajuda de alguns cidadãos aos quais era mais cara a escravidão que a liberdade de sua pátria; e escreveu a Giovanni Fogliani dizendo que, tendo estado muitos anos fora de casa, queria voltar a vê-lo e à sua cidade e a avaliar o seu progresso; e porque não se havia afadigado senão para conquistar honra, a fim de que seus cidadãos vissem que não havia desperdiçado o tempo, queria apresentar-se solenemente, acompanhado de cem cavaleiros, amigos e servidores seus; e pregava que ficaria contente se fosse bem recebido por todos os cidadãos de Fermo, o que não apenas honraria a ele, mas também a Giovanni, sendo ele o seu aluno. Não faltou, portanto, Giovanni com nenhuma honraria devida para com o sobrinho. E os fez também ser recebidos honrosamente por todos os cidadãos de Fermo, alojando-os em suas casas: donde, passados alguns dias, e a fim de ordenar secretamente aquilo que a seus próximos atos celerados era necessário, fez um convite soleníssimo, convidando Giovanni Fogliani e todos os cidadãos mais importantes de Fermo. E consumidos que foram as comidas e todos os outros entretenimentos próprios dessas ocasiões, Oliverotto, astuciosamente, fez certas provocações, falando da grandeza do Papa Alexandre, de seu filho César e das conquistas de ambos. A cujas provocações responderam Giovanni e os outros; Oliverotto levantou-se, abruptamente, dizendo que aquele era assunto para se falar em lugar mais reservado, e retirou-se para uma sala, seguido por Giovanni e todos os outros cidadãos. Mal sentaram, que de um lugar secreto saíram soldados, que massacraram Giovanni e todos os outros. Após esses homicídios, Oliverotto saiu a cavalo pela cidade e assediou no palácio o supremo magistrado; tanto que, por medo, foram constrangidos a lhe obedecer e a firmar um governo do qual se fez príncipe. E mortos todos aqueles que, por estarem descontentes, poderiam ofender-lhe, corroborou a nova ordem civil e militar, de modo que, em um ano de fundação do principado, não somente estava seguro na cidade de Fermo, como também se havia tornado temível a todos os seus vizinhos. E a sua expugnação seria tão difícil como a de Agátocles, se não tivesse se deixado enganar por César Bórgia, em Sinigália, como acima se disse, quando foram presos os Orsini e os Vitelli; onde, preso agora ele, um ano depois de cometido o parricídio, foi, junto com Vitellozzo, seu mestre em *virtù* e ações celeradas, estrangulado.

Alguém poderia questionar como seria possível que Agátocles e semelhantes, após infinitas traições e crueldades, pudessem viver longamente seguro na sua pátria e defender-se dos inimigos externos, e seus cidadãos não conspirassem contra ele, enquanto muitos outros, mediante a crueldade, não tenham conseguido, nem mesmo em tempos pacíficos, manter o Estado, muito menos nos tempos incertos de guerra. Creio que isso venha da crueldade mal usada ou bem usada. Bem usadas se pode chamar aquelas (se do mal é lícito dizer bem) que se faz de uma única vez, pela necessidade de manter-se, e depois não se insiste mais nelas, mas são convertidas no máximo possível de benefícios para os súditos. Mal usadas são aquelas que, com o tempo, aumentam em vez de diminuírem. Aqueles que observam o primeiro modo podem, perante Deus e os homens, encontrar algum remédio para o seu Estado, como Agátocles; aos outros é impossível que se mantenham.

De onde é de se notar que, ao tomar um Estado, deve o seu ocupador pôr em curso todas aquelas ofensas que lhe são necessárias fazer; e fazê-las todas de uma vez, para não ter que renová-las a cada dia e poder, sem variações, manter a população e governar para beneficiá-la. Quem faz de outro modo, ou por timidez ou por mau conselho, sempre necessitará ter o cutelo na mão e não poderá manter os seus súditos, nem podendo os súditos, pelas sempre renovadas injúrias, sentirem-se mantidos pelo ocupador. Porque as injúrias devem ser feitas todas juntas, a fim de que, mal saboreando-as menos, ofendam menos: os benefícios devem ser feitos pouco a pouco, de modo que sejam bem saboreados. E deve, sobretudo, um príncipe viver com os seus súditos de modo que nenhum acidente ou bom ou mau o faça variar, porque, vindo, com os tempos adversos, a necessidade, tu não tens mais tempo para o mal, e o bem que tu fazes não te beneficia, porque julgam que foste forçado a praticá-lo, o que não te dará nenhum mérito.

IX
Do principado civil

Examinando o segundo modo, em que um cidadão privado, não por atos celerados ou outra violência intolerável, mas com o favor dos demais cidadãos torna-se príncipe de sua pátria (o qual se pode chamar principado civil; para ocupar um principado desse modo, não é necessário ou toda *virtù* ou toda fortuna, porém muito mais uma afortunada astúcia), digo que se ascende a esse principado ou com o favor do povo ou com o favor dos grandes. Porque em cada cidade se encontram essas duas diferentes disposições; e nascem disto, que o povo não deseja ser comandado nem oprimido pelos grandes, e os grandes desejam comandar e oprimir o povo; e desses dois apetites diversos nascem na cidade um desses três efeitos: ou principado ou liberdade ou licenciosidade.

O principado é fundado ou pelo povo ou pelos grandes, dependendo da ocasião propícia a uma ou outra parte. Porque, vendo os grandes que não podem resistir ao povo, concentram a atenção em um dos seus e fazem-no príncipe para poderem, sob a sua sombra, desafogar os seus apetites. O povo, por sua vez, vendo que não pode resistir aos grandes, concentra-se em um, e o faz príncipe, para ser com autoridade seu defensor. Aquele que chega ao principado com a ajuda dos grandes se mantém com mais dificuldade do que aquele que chega com a ajuda do povo, porque em sua volta se encontram muitos outros que se julgam seus iguais e, por isso, não os pode comandar nem manejar a seu modo. Mas aquele que chega ao principado com o favor popular se encontra só e tem em volta ou ninguém, ou pouquíssimos que não estejam prontos a obedecer-lhe. Além disso, não se pode com honestidade satisfazer os grandes, sem injuriar o povo, mas bem se pode o contrário: porque o povo tem fins mais honestos do que os grandes, querendo estes oprimirem, e aqueles não serem oprimidos. Mais ainda, um príncipe não se mantém tendo o povo como inimigo, por serem muitos; contra os grandes pode manter-se, porque são poucos. O pior que pode esperar um príncipe, tendo o povo como inimigo, é ser abandonado por ele; mas dos grandes, uma vez inimigos, não somente deve temer o abandono, mas também que lhe venham contra. Porque, havendo neles mais visão e mais astúcia, têm sempre tempo para cuidar de seus interesses e adulam aquele que esperam que vença. É necessário ainda que o príncipe viva sempre com aquele mesmo povo, mas bem pode viver sem aqueles mesmos grandes, podendo engrandecê-los ou diminuí-los, tirar-lhes e dar-lhes reputação, a seu critério.

E, para clarear melhor esta parte, digo que os grandes devem ser examinados de duas maneiras principalmente: ou estão contigo, submetendo-se a teus procedimentos, ou não estão contigo. Aqueles que estão submetidos e não são rapinantes devem ser honrados e amados; aqueles que não estão submetidos devem ser examinados de duas maneiras. Ou o fazem por pusilanimidade e defeito natural da alma; destes tu deves te servir, especialmente daqueles que podem te dar bons conselhos, porque na prosperidade te honrarão, e não haverás de temê-los na adversidade; porém, quando não estão submetidos a ti por astúcia e por ambição, é sinal de que pensam mais em si do que em ti; e destes o príncipe deve cuidar-se e temê-los como se fossem declarados inimigos, porque sempre, na adversidade, ajudarão a arruiná-lo.

Deve, portanto, alguém que se torna príncipe mediante o favor do povo mantê-lo amigo, o que lhe será fácil, pois o povo não exige mais do que não ser oprimido. Mas alguém que, contra o povo, torna-se príncipe com o favor dos grandes deve, acima de todas as coisas, cuidar para ter o povo a seu favor, o que será fácil, se for protegido. E porque os homens, quando recebem o bem de quem acreditavam que receberiam o mal, submetem-se mais ao seu benfeitor, segue-se que o povo se torna, rapidamente, mais benévolo para com o príncipe do que se este fosse conduzido ao principado pelo próprio favor do povo. E pode o príncipe ganhar o povo de muitos modos, para os quais, porque variam de acordo com a ocasião, não se pode formular uma regra certa, e por isso encerro aqui o assunto. Concluo somente que a um príncipe é necessário manter o povo amigo; de outro modo não há, na adversidade, remédio.

Nábis, príncipe dos espartanos, suportou o assédio de toda a Grécia, de um exército romano vitoriosíssimo e defendeu contra aqueles a sua pátria. Bastou somente, sobrevindo o perigo, ter junto a si uns poucos: o que não bastaria, se ele tivesse o povo inimigo. E que não oponha alguém a esta minha opinião aquele provérbio "quem se funda no povo chafurda no lodo", porque isso é verdadeiro somente quando um cidadão particular faz seu fundamento e parece-lhe que o povo o libertará quando for oprimido pelos inimigos ou pelos magistrados (nesse caso se pode encontrar realmente enganado quanto ao povo, como em Roma os Gracchi e em Florença o Senhor Giorgio Scali).

Contudo, sendo um príncipe que se funda no que é seu, que possa comandar e seja homem de coragem, nem se apavore na adversidade, e não lhe faltem outras qualidades necessárias, e tenha com seu ânimo e seus ordenamentos capacidade de motivar o povo, jamais se encontrará enganado pelo povo. E a ele parecerá, sem engano, ter feito bem os seus fundamentos.

Esses principados apenas estão a perigo quando estão por sair da ordem civil para a ordem absoluta. Porque esses príncipes ou comandam por si mesmos, ou por meio de magistrados; no último caso, é mais débil e mais perigosa a sua posição, uma vez que todos estão com a vontade daqueles cidadãos prepostos como magistrados: os quais, sobretudo nos tempos adversos, podem tomar-lhes com grande facilidade o Estado, ou por oposição direta ou por não obediência. E para o príncipe não há mais tempo, e muitos são os perigos, para impor a autoridade absoluta, porque os cidadãos e súditos, somente tendo recebido os ordenamentos dos magistrados, não estão, naquela circunstância, dispostos a outros ordenamentos. E o príncipe terá sempre, nesses tempos dúbios, dificuldade em encontrar em quem possa verdadeiramente confiar. Porque tais príncipes não podem fundar-se sobre aquilo que se encontra em tempos de paz, quando os cidadãos precisam do Estado, pois, quando a morte está distante, então todos correm, prometem, querem morrer pelo príncipe; porém, nos tempos adversos, quando o Estado precisa dos cidadãos, então se encontram poucos. E ainda mais perigosa é essa experiência, porquanto não pode ser feita a não ser uma única vez. E, por isso, um príncipe sábio deve pensar em um modo pelo qual os seus cidadãos, sempre e em qualquer circunstância do tempo, tenham necessidade do Estado e dele; e depois sempre lhe serão fiéis.

X
De que modo se deve avaliar a força de todos os principados

Convém fazer, ao examinar as características desses principados, uma outra consideração: a saber, se um príncipe tem tanto estado quanto possa, não necessitando para reger-se senão de si mesmo, ou se tem sempre necessidade de ser defendido por outros. E, para clarear melhor esta parte, digo como avalio aqueles que podem reger-se por si mesmos, que podem, ou por abundância de homens ou de dinheiro, reunir um exército adequado à ocasião e batalhar abertamente contra qualquer um que os venha atacar: e igualmente avalio aqueles que têm sempre necessidade dos outros, que não podem enfrentar o inimigo em campo aberto, mas têm necessidade de refugiar-se dentro das muralhas e daí se defender. Do primeiro caso já se falou aqui e, na ocasião oportuna, diremos o que nos ocorre sobre o tema. Do segundo caso não se pode dizer outra coisa senão estimular tais príncipes a fortificarem e a municiarem apenas suas cidades, sem se preocuparem com o restante do país. E será sempre com grande temor atacado aquele que tiver bem fortificada a sua cidade e que, a propósito das outras ações relativas aos súditos, conduzir-se como acima se disse e abaixo se dirá, porque os homens são sempre inimigos das empresas nas quais vejam dificuldades, nem se pode ver facilidade atacando alguém que tenha sua cidade fortificada e não seja odiado pelo povo.

As cidades da Alemanha são livríssimas, têm pouca área rural, obedecem ao imperador quando querem e não o temem e nem a outras potências que têm em sua volta, porque são de tal modo fortificadas que qualquer um pensa que a sua expugnação deveria ser tediosa e difícil. Porque todas têm fossos e muros convenientes; têm artilharia suficiente; têm sempre no depósito público o que beber e o que comer e o que queimar por um ano; além disso, para poder ter a plebe satisfeita e sem que se afaste da vida comunitária, dispõem, por um ano, de trabalho naquelas atividades que são o nervo e a vida daquela cidade, atividades que à própria plebe sustentam. Têm ainda em grande conta os exercícios militares e nesse sentido têm muitos ordenamentos para manter.

Um príncipe, portanto, que tenha uma cidade forte e não se faça odiar não pode ser atacado; e, mesmo que fosse atacado, o atacante partiria humilhado, porque as coisas do mundo são tão variadas, que é quase impossível ao príncipe que alguém pudesse, com seus exércitos ociosos, ficar assediando-o por um ano. E a quem replicasse: “Se o povo tiver suas possessões fora e vê-las arder, não terá paciência, e que o longo assédio e os interesses próprios o farão esquecer o príncipe”, respondo: um príncipe poderoso e motivador superará sempre todas essas dificuldades, dando aos súditos ora esperança de que o mal não se alongará, ora temor da crueldade do inimigo, ora submetendo com destreza aqueles que lhe parecem demasiadamente ardentes. Além disso, o inimigo costuma queimar e arruinar o país em sua chegada, em tempos em que os ânimos dos homens estão ainda quentes e comprometidos com a defesa; e, depois de algum tempo, menos ainda o príncipe deve temer, porque, quando os ânimos estão freados, os danos já estão feitos, os males recebidos, não há mais remédio; e então os homens se veem fortemente unidos com o seu príncipe, parecendo que ele tem, com eles, dívida, pois suas casas queimaram, suas possessões foram arruinadas, em defesa do príncipe. E a natureza dos homens é tal que se obrigam pelos benefícios que fazem, assim como pelos benefícios que recebem. Portanto, caso se considerar bem tudo, se verá que não é difícil a um príncipe prudente manter e depois firmar os ânimos de seus cidadãos durante o cerco, desde que não lhe falte do que viver e com o que se defender.

XI
Dos principados eclesiásticos

Resta-nos somente, relativamente ao temporal, raciocinar sobre os principados eclesiásticos, acerca dos quais todas as dificuldades ocorrem antes da ocupação, porque são ocupados ou por *virtù* ou por fortuna, mas sem uma e outra são mantidos, já que estão apoiados em antigos ordenamentos religiosos, os quais são tão poderosos e determinantes, que os príncipes são mantidos em seu Estado independentemente do modo como procedam ou vivam. Os quais somente mantêm o Estado, mas não o defendem; têm súditos, mas não os governam: e os Estados, por estarem indefesos, não lhes são tomados; e os súditos, por não serem governados, não precisam ser cuidados, nem pensam nem podem alienar-se de ti. Somente, portanto, esses principados são seguros e felizes. Mas sendo tais principados regidos por causas superiores, as quais a mente humana não alcança, deixarei de falar sobre eles, porque, sendo exaltados e mantidos por Deus, discorrer sobre eles seria ofício de homem presunçoso e temerário. No entanto, se alguém me questionasse de onde vem que a Igreja, relativo ao temporal, tenha alcançado tanta grandeza, que antes de Alexandre VI, as potências italianas, e não somente aquelas que se diziam poderosas, mas qualquer barão e senhor, ainda que mínimo, quanto ao temporal, pouco a estimavam e que agora um rei da França lhe trema, que o tenha podido arrancar da Itália e ainda arruinar os venezianos; coisa a qual, ainda que seja conhecida, não me parece supérfluo resumir para retê-la na memória.

Antes que Carlos, rei da França, passasse na Itália, estava essa província sob o império do papa, venezianos, rei de Nápoles, duque de Milão e florentinos. Essas potências deviam ter dois cuidados principais: um, que um estrangeiro não entrasse na Itália com as armas; o outro, que nenhum deles aumentasse seus domínios. Aqueles com os quais se tinha mais cuidado eram o papa e os venezianos. E, para conter os venezianos, era necessária a união de todos os demais, como foi na defesa de Ferrara; e, para manter baixo o papa, serviram-se os demais dos barões de Roma, os quais, divididos em duas facções, Orsini e Colonnesi, sempre rivalizaram entre si; e, estando eles sempre com suas armas em mãos perante os olhos do pontífice, mantinham o pontificado débil e enfermo. E ainda que surgisse, por vezes, um papa corajoso, como foi Sisto, todavia a má sorte ou as circunstâncias o impediram de se livrar daquela incomodidade. E a brevidade de suas vidas era a causa, porque em dez anos que, em média, vivia um papa, a muito custo poderiam enfraquecer uma das facções; e se, por exemplo, um havia quase terminado com os Colonnesi, surgia um outro, inimigo dos Orsini, que fazia ressurgir os Colonnesi, e não havia tempo para terminar com os Orsini.

Isso fazia com que as forças temporais do papa fossem pouco estimadas na Itália. Surge depois Alexandre VI, o qual, de todos os pontífices que reinaram, mostrou quanto um papa, com o dinheiro e com a força, podia fazer-se valer; e fez, tendo como instrumento o Duque Valentino e aproveitando a ocasão da passagem dos franceses, todas aquelas coisas sobre as quais eu discorro acima ao tratar das ações do duque. E ainda que seu intento não fosse engrandecer a Igreja, mas ao duque, o que fez voltou-se à grandeza da Igreja, a qual, depois da sua morte, e morto o duque, foi herdeira de seus esforços. Vem depois o Papa Júlio; e encontrou a Igreja grande, tendo para si toda a Romanha e eliminados os principais barões de Roma e, por obra de Alexandre, anuladas aquelas facções; e encontrou aberto ainda o caminho, o qual nunca havia sido seguido antes de Alexandre, para a acumulação de dinheiro. Coisas que Júlio não somente seguiu, como também as ampliou; e pensou em ocupar Bolonha e derrotar os venezianos e em caçar os franceses na Itália: e todos esses empreendimentos ele alcançou. E tanto maior é a sua glória, porquanto fez cada coisa para engrandecer a Igreja e não alguém em particular. Mantém ainda os partidos Orsini e Colonnesi na situação em que os encontrou: ainda que entre eles houvesse algum barão para instaurar qualquer alteração, duas coisas, todavia, mantinham-nos inalterados: uma, a grandeza da Igreja, que eles temiam; a outra, o fato de não terem seus próprios cardeais, os quais são a origem dos tumultos entre eles. Jamais se aquietarão esses partidos, havendo cardeais e não havendo os seus próprios cardeais, porque estes nutrem, em Roma ou fora dela, a rivalidade entre os partidos, e aqueles barões são forçados a defendê-los; e, assim, da ambição dos cardeais nascem as discórdias e os tumultos entre os barões. Encontrou, portanto, a Santidade do Papa Leão este pontificado potentíssimo: do qual se espera, se aqueles o fizeram grande com as armas, que este, com a bondade e suas infinitas outras virtudes, o fará grandíssimo e venerado.

XII
De quantos gêneros são as milícias, e dos soldados mercenários

Tendo examinado particularmente todas as qualidades daqueles principados que inicialmente me propus a examinar e considerado, naquela parte, as razões de serem bons ou maus, mostrando os modos pelos quais muitos têm conseguido ocupá-los e mantê-los, resta-me ora discorrer genericamente sobre a tática ofensiva ou defensiva usadas nos diversos principados. Nós dissemos acima como a um príncipe é necessário ter bons fundamentos; de outro modo, inevitavelmente se arruinará. Os principais fundamentos que têm todos os Estados, tanto novos como velhos ou mistos, são boas leis e boas milícias: e porque não pode haver boas leis onde não são boas as milícias, e onde são boas as milícias convém haver boas leis, eu não raciocinarei sobre as leis e falarei das armas.

Digo, portanto, que as milícias com as quais um príncipe defende o seu Estado ou são próprias ou mercenárias, ou auxiliares, ou mistas. As mercenárias e auxiliares são inúteis e perigosas: e, se alguém tem seu Estado fundado sobre soldados mercenários, não estará nunca firme e seguro, pois são desunidos, ambiciosos, sem disciplina, infiéis; valentes entre amigos; entre os inimigos, vis; não temem a Deus, não confiam na palavra dos homens; com eles, tanto se retarda a ruína como se retarda o ataque; e na paz és espoliado por eles, na guerra pelos inimigos. A razão disso é que não têm outro amor nem outra causa que os tenha no campo de batalha, que um pouco de salário, o qual não é suficiente para fazer com que queiram morrer por ti. Bem querem ser os teus soldados enquanto tu não entras em guerra; contudo, como a guerra vem, ou fogem ou desandam. Assunto sobre o qual deveria haver pouca fadiga na persuasão, porque a ruína atual da Itália não é causada por outro motivo senão por ela estar repousada, no espaço de muitos anos, sobre os soldados mercenários. Os quais até fizeram qualquer progresso para alguns e pareciam valentes entre eles; no entanto, como veio o estrangeiro, mostraram o que eles eram. De modo que a Carlos, rei da França, foram abertas as portas da Itália com um simples giz. E quem dizia que a causa eram os nossos pecados dizia a verdade; porém, não eram os pecados em que acreditava, mas estes que eu narrei: e porque eles eram pecados de príncipes, também estes padeceram as penas.

Eu quero demonstrar melhor a infelicidade dessas armas. Os capitães mercenários ou são homens nas armas excelentes, ou não: se são, neles não podes confiar, porque sempre aspiram à grandeza própria, ou oprimindo-te ou oprimindo outros a quem não queiras oprimir; mas, se o capitão não é excelente nas armas, ele te arruinará geralmente. E, caso se responda que qualquer um com as armas em mãos faria isso, ou mercenário ou não, replicarei dizendo como as milícias devem ser comandadas ou por um príncipe ou por uma república: o príncipe deve mandar em pessoa e fazer ele o ofício de capitão; na república devem indicar um de seus cidadãos; e, quando este não demonstra valentia, deve ser trocado; e, enquanto é capitão, controlá-lo com as leis para que não passe o sinal. E por experiência se vê somente principados e repúblicas propriamente armadas fazerem grandíssimos progressos, e as armas mercenárias não fazem senão danos. E com mais dificuldade se submete a um de seus cidadãos uma república armada de armas próprias do que uma armada de armas externas.

Roma e Esparta mantiveram-se, por muitos séculos, armadas e livres. Os suíços são armadíssimos e livríssimos. Exemplos das armas mercenárias antigas são os cartagineses, os quais acabaram por ser oprimidos pelos seus soldados mercenários, ao fim da primeira guerra com os romanos, ainda que os cartagineses tivessem, como cabeças, seus próprios cidadãos. Filipe da Macedônia foi feito, pelos tebanos, depois da morte de Epaminondas, capitão de seus soldados e tomoulhes, após a vitória, a liberdade. Os milaneses, morto o Duque Filippo, contrataram Francisco Sforza contra os venezianos; o qual, superados os inimigos em Caravaggio, une-se com estes para oprimir os milaneses, seus patrões. Sforza, seu pai, sendo soldado da Rainha Giovanna de Nápoles, deixou-a, subitamente, desarmada; obrigando-a, para não perder o reino, a atirar-se no colo do rei de Aragão. E, se os venezianos e os florentinos aumentaram recentemente o seu império por meio destas armas, e seus capitães não se fizeram príncipe, mas os defenderam, respondo que os florentinos nesse caso estão sob os favores da sorte, porque entre os capitães *virtuosos*, que poderiam ser temidos pelos florentinos, alguns não têm sido vitoriosos, alguns têm tido oposição, alguns têm dirigido sua ambição em outra direção. Aquele que não venceu foi Giovanni Aucut, do qual, não vencendo, não se pôde colocar a lealdade à prova; porém, qualquer um concordaria que, vencendo, estariam os florentinos à sua mercê. Sforza sempre teve os Bracceschi contrários, cuidando um ao outro. Francisco dirigiu sua ambição à Lombardia; Braccio contra a Igreja e o reino de Nápoles.

Agora vejamos aquilo que aconteceu faz pouco tempo. Os florentinos fizeram Paulo Vitelli seu capitão, homem prudentíssimo, que, de cidadão privado, havia alcançado grandíssima reputação. Se ele tivesse tomado Pisa, ninguém negaria que conviria aos florentinos estarem com ele; porque, se fosse feito capitão de seus inimigos, Florença estaria perdida e, se o mantivessem no cargo, teriam que lhe obedecer. Quanto aos venezianos, considerando os seus progressos, se verá que agiram seguramente e gloriosamente enquanto guerrearam com armas próprias (que foi antes de se voltarem à sua empresa em terra) onde com cavaleiros e com a plebe operaram *virtuosissimamente*; porém, como começaram a combater em terra, deixaram essa *virtù* e seguiram os costumes de guerra da Itália. E, no princípio da sua expansão terrestre, por ainda não terem muito Estado e por gozarem de grande reputação, não havia por que temerem muito a seus capitães; contudo, como eles ampliaram seu território, como ocorreu sob o comando de Carmignuola, tiveram um ensaio deste erro, porque, vendo-o *virtuosíssimo*, batido que ele havia, sob o governo de Veneza, o duque de Milão e conhecendo, por outro lado, como ele era indiferente à guerra, julgaram que não podiam mais com ele vencer porque não queria, nem poderiam licenciá-lo para não perder o que já haviam conquistado; de modo que foram obrigados, para se manterem, a apagá-lo. Tiveram depois, como seus capitães, Bartolommeo de Bérgamo, Ruberto de San Severino, Conde de Pitigliano, e semelhantes; com eles teriam que temer a perdição e não contar com a sua proteção, como aconteceu depois em Vailá, onde, em um dia, perderam aquilo que em oitocentos anos, com tanta fadiga, haviam conquistado. Porque dessas armas nascem somente as lentas, tardias e débeis conquistas, e a súbita e miraculosa perda. E porque eu apresentei esses exemplos da Itália, a qual tem sido governada por muitos anos pelas armas mercenárias, quero agora discorrer mais do alto, de modo que, vendo a origem e a evolução delas, possa-se melhor corrigi-las.

Haveis então de entender por que, logo que nos últimos tempos o império começou a ser repelido da Itália e que o papa, no temporal, ganhou mais reputação, dividiu-se a Itália em muitos Estados, pois muitas cidades grandes pegaram em armas contra seus nobres, os quais, primeiramente favoritos do imperador, mantinham-nas oprimidas; e a Igreja também os favorecia para ganhar reputação no temporal; e assim muitos de seus cidadãos tornaram-se príncipes. De modo que, caindo a Itália quase inteiramente nas mãos da Igreja e de uma ou outra república, e sendo os padres e demais cidadãos acostumados a não pegar em armas, começaram a assalariar forasteiros. O primeiro que deu reputação à milícia mercenária foi Alberigo de Conio, da Romanha. Da sua escola descendem, entre outros, Braccio e Sforza, que em sua época foram árbitros da Itália. Depois destes, vieram todos os outros que até os nossos tempos têm governado as milícias mercenárias. E o resultado de sua *virtù* está posto: a Itália corrida por Carlos, predada por Luís, forçada por Fernando e desonrada pelos suíços. O procedimento que esses capitães têm mantido é voltado, primeiramente, para dar reputação a eles mesmos, retirando reputação da infantaria. Faziam isso porque, não tendo pátria e vivendo da sua profissão, uns poucos infantes não lhe davam reputação, e eles muito menos podiam alimentá-los; e assim se reduziam a cavaleiros, os quais, em número suportável, eram nutridos e honrados. Reduziam a coisa ao ponto em que, num exército de vinte mil soldados, não se encontravam dois mil infantes. Além disso, para atenuar a si mesmos e aos soldados a fadiga e o medo, costumavam não se matar em combate, faziam prisões, mas sem cobrança de resgate. Não atacavam à noite a cidade; e os da cidade não combatiam à noite. Em volta de seus acampamentos, não faziam nem paliçada nem fosso. Não combatiam no inverno. E tudo isso era permitido em sua organização militar, concebida por eles para fugirem, como disse, à fadiga e aos perigos: tanto foi que eles conduziram a Itália à desonra e à escravidão.

XIII
Das milícias auxiliares, mistas e próprias

As armas auxiliares são as outras armas inúteis; são assim qualificadas quando se chama um poderoso que, com as suas armas, ajuda-te e defende-te; como o fez em tempos recentes o Papa Júlio, o qual, tendo visto na empresa de Ferrara a triste prova de suas armas mercenárias, volta-se às auxiliares e pactua com Fernando, rei da Espanha, para ajudá-lo com sua gente e exércitos. Essas armas podem ser úteis e boas para eles mesmos, mas são, para quem as chama, quase sempre danosas, porque, perdendo, nada resta e, vencendo, resta a própria prisão. E ainda que a história antiga seja plena desses exemplos, eu não quero, no entanto, abandonar o exemplo recente do Papa Júlio II, o qual, por ainda querer Ferrara, entregou, imprudentemente, tudo nas mãos de um forasteiro. Contudo, a sua boa sorte fez nascer uma terceira coisa, a fim de que não colhesse o fruto de sua má escolha, porque sendo os seus auxiliares derrotados em Ravenna, e surgindo os suíços que caçaram os vencedores, contrariando todas as opiniões e a sua e dos outros, não foi aprisionado pelos inimigos, pois estes fugiram, nem foi aprisionado pelos seus auxiliares, tendo assim vencido com outras armas que não as suas.

Os florentinos, sem armas próprias, conduziram dez mil franceses a Pisa para expugná-la; por essa decisão levaram mais perigo a si mesmos do que em qualquer tempo de sua história. O imperador de Constantinopla, para se opor aos seus vizinhos, enviou à Grécia dez mil turcos, os quais, terminada a guerra, não quiseram partir, o que foi o princípio da escravização da Grécia pelos infiéis.

Aqueles, portanto, que não querem vencer que se valham das armas auxiliares, porque são muito mais perigosas que as mercenárias. Porque as armas auxiliares já trazem em si mesmas a ruína: os soldados são todos unidos, todos voltados à obediência de outros, enquanto os soldados mercenários, para te ofenderem, vencido que tenham, precisam mais tempo e melhores circunstâncias, não formando todos um corpo, pois são arranjados e pagos por ti; além disso, ainda que a um terceiro tu faças cabeça das armas, esse não pode tomar subitamente tanta autoridade que te ofenda. Em suma, nas mercenárias é mais perigosa a indolência; nas auxiliares, a *virtù*.

Portanto, um príncipe sábio sempre fugirá dessas armas e se voltará às próprias armas; e achará melhor perder com as suas do que vencer com as dos outros, julgando não verdadeira vitória aquela que com as armas alheias se conquista. Eu não me canso em citar César Bórgia e suas ações. Esse duque entrou na Romanha com as armas auxiliares, conduzindo somente soldados franceses; e com elas tomou Ímola e Forli; porém, depois, não lhe parecendo tais armas seguras, volta-se às mercenárias, julgando-as menos perigosas. E contratou os Orsini e os Vitelli, os quais, depois, mostrando-se, na prática, dúbios e infiéis e perigosos, dispensa e volta-se às próprias armas. E pode-se facilmente ver que diferença há entre uma e outra dessas armas examinando a diferente reputação do duque, quando tinha os franceses somente e quando tinha os Orsini e os Vitelli, e quando, finalmente, permaneceu com os seus próprios soldados e apoiado em si mesmo: motivo pelo qual sempre teve sua reputação aumentada; nem nunca foi estimado tanto, senão porque todos viam que ele era o inteiro possessor de suas armas.

Eu não quero afastar-me dos exemplos italianos e recentes; todavia, não quero deixar para trás Hiero de Siracusa, sendo um dos já citados por mim. Ele, como eu disse, feito cabeça das tropas de Siracusa, descobre rapidamente que a milícia mercenária não era útil, por ser conduzida como as nossas italianas; e parecendo-lhe não poder mantê-las nem as dispensar, ordenou que fossem todos cortados em pedaços; e depois fez guerra com as suas próprias armas, e não com as alheias. Quero ainda, a esse propósito, trazer à memória uma figura do Velho Testamento. Oferecendo-se Davi a Saul para combater contra Golias, desafiante filisteu, Saul, para dar-lhe ânimo, ofereceu-lhe as suas armas, as quais, após tê-las envergado, foram recusadas por Davi, dizendo que com elas não podia bem se valer de si mesmo, e assim queria desafiar o inimigo com a sua funda e a sua faca.

Enfim, as armas dos outros, como roupas que não te servem, ou são muito largas ou muito pesadas ou muito apertadas. Carlos VII, pai do Rei Luís XI, havendo, com a sua fortuna e *virtù*, libertado a França dos ingleses, conhecia essa necessidade de armar-se com armas próprias e instituiu em seu reino as tropas regulares nacionais. Depois o Rei Luís, seu filho, dispensou a infantaria e começou a contratar soldados suíços: erro o qual, seguido de outros, é, como agora se vê pelos fatos, a causa dos perigos enfrentados por este reino. Porque, tendo dado reputação aos suíços, enfraqueceu todas as suas armas (a infantaria foi totalmente desfeita e seus soldados submetidos às armas dos outros); além disso, sendo acostumados a militarem com os suíços, não veem como possam vencer sem eles. Daqui nasce que os franceses não bastam contra os suíços e, sem os suíços, contra os outros nem tentam. Os exércitos da França são, portanto, mistos, parte mercenários e parte próprios: armas as quais, juntas, são muito melhores do que as simplesmente auxiliares ou simplesmente mercenárias e muito inferiores às próprias. E basta o exemplo apresentado, porque o reino da França seria insuperável, se a regulamentação de Carlos fosse acrescida ou preservada. Mas a pouca prudência dos homens inicia uma coisa, da qual, por julgá-la boa na ocasião, não percebem o veneno que há por baixo: tal como eu disse, acima, a respeito da tuberculose.

Portanto, aquele que, em um principado, não conhece os males quando nascem não é verdadeiramente sábio; e isso é dado a poucos. E, caso se considerasse a primeira causa da ruína do Império Romano, ela seria encontrada no início da contratação de soldados godos, porque com aquele início começaram a estenuar a força do Império Romano; e toda aquela *virtù* que se levava a ele com as armas próprias agora se dava a eles.

Concluo, portanto, que, sem armas próprias, nenhum principado é seguro; antes, é todo dependente da fortuna, não havendo *virtù* que o defenda fielmente na adversidade. E foi sempre opinião e sentença dos homens sábios: "Nada é tão incerto e instável quanto a fama de uma potência que não se funda sobre sua própria força". E as armas próprias são aquelas que são compostas ou de súditos ou de cidadãos ou de criados teus: todas as outras são ou mercenárias ou auxiliares. E o modo de regulamentar as armas próprias será fácil de executar caso se examinar as providências dos quatro acima denominados por mim, e também caso se verificar como Filipe, pai de Alexandre Magno, e como muitas repúblicas e principados se armaram e se organizaram; organizações às quais eu, sem restrições, sempre me remeto.

XIV
Os deveres do príncipe para com a milícia

Um príncipe deve, portanto, não ter outro objetivo nem outro pensamento nem relevar coisa alguma para sua arte senão a disciplina e os ordenamentos relativos à guerra, porque esta é a única arte que se espera de quem comanda; e é coisa de tanta *virtù*, que não somente mantém aqueles que nasceram príncipes, como muitas vezes permite que pessoas privadas tornem-se príncipes; e, por outro lado, vê-se que os príncipes, quando têm pensado mais nas delicadezas do que nas armas, têm perdido os seus Estados. E a primeira causa que te faz perder o Estado é teres negligenciado essa arte; e a causa que te faz ganhar é teres bem professado essa arte.

Francisco Sforza, por estar armado, de homem privado tornou-se duque de Milão; os filhos, por fugirem do incômodo das armas, de duques tornaram-se homens privados. Porque, entre os outros prejuízos que te traz o mal de estar desarmado, está o desprezo, o qual é uma daquelas infâmias que o príncipe deve evitar, como em seguida se dirá. Porque entre um armado e um desarmado não há qualquer comparação, e não é razoável que o armado obedeça voluntariamente ao desarmado e que o desarmado esteja seguro entre servidores armados, pois, havendo em um desdém, e no outro suspeita, não é possível trabalharem bem juntos. E um príncipe que de milícia não entenda, além de outras infelicidades, como disse, não pode ser estimado entre seus soldados, nem lhes depositar confiança.

Deve, portanto, nunca afastar o pensamento dos exercícios de guerra, e na paz mais se deve exercitar do que na guerra, o que pode fazer de dois modos: um com a ação, outro com a mente. E, quanto à ação, deve levar seus soldados em suas caçadas que, além de mantê-los bem organizados e exercitados, habituam o corpo às agruras; e, enquanto isso, aprendem a natureza dos sítios e conhecem como surgem os montes, como embocam os vales, como se estendem as planícies, e entendem a natureza dos rios e dos pântanos, e nisso põem grandíssima atenção. Conhecimento este que é útil de dois modos: primeiro, aprendem a conhecer o seu país e podem melhor entender como defendê-lo; depois, mediante o conhecimento prático daqueles sítios, com facilidade compreendem outros sítios que novamente lhes seja necessário especular. Porque os morros, os vales, as planícies, os rios, os pântanos que existem, por exemplo, na Toscana, têm com os de outras províncias certa semelhança; tal que, do conhecimento dos sítios de uma província, pode-se facilmente alcançar o conhecimento de outros. E aquele príncipe a quem falte essa perícia falta a qualidade mais importante que deve ter um capitão, porque esta ensina como encontrar o inimigo, tomar os acampamentos, conduzir os exércitos, organizar os soldados para a batalha, assediar uma cidade em tua vantagem.

Filopomene, príncipe dos aqueus, entre os outros louvores que lhe foram dados pelos escritores, era elogiado porque nos tempos de paz não pensava senão nos meios de guerra; e, quando estava no campo com os amigos, frequentemente parava e raciocinava com eles: "Se o inimigo estivesse naquela colina, e nós nos encontrássemos aqui com nosso exército, quem estaria em vantagem? Como se poderia atacá-los organizadamente? E, se nós quiséssemos nos retirar, como faríamos? E, se eles se retirassem, como agiríamos para segui-los?" E propunha-lhes, andando, todas as situações que poderiam ocorrer a um exército; ouvia a opinião deles, dizia a sua, corroborava-a com as devidas razões; de modo que, por essas contínuas cogitações, não pudesse nunca, guiando os exércitos, nascer qualquer acidente para o qual ele não tivesse o remédio.

E, quanto ao exercício da mente, deve o príncipe ler a história, e nela considerar as ações dos homens excelentes; ver como se governaram na guerra; examinar as causas de suas vitórias e derrotas, para a estas fugir, e aquelas imitar; e, sobretudo, fazer como tem feito qualquer homem excelente do passado, que imitava aquele que antes dele fora louvado e glorificado, do qual mantinha sempre os gestos e ações perante si mesmo: como se diz que Alexandre Magno imitava Aquiles; César, Alexandre; Cipião, Ciro. E qualquer um que leia a vida de Ciro escrita por Xenofonte reconhece depois na vida de Cipião o quanto aquela imitação lhe foi gloriosa e quanto, na castidade, afabilidade, humanidade, liberalidade se assemelha com aquelas coisas que Xenofonte havia escrito anteriormente sobre Ciro.

Um príncipe sábio deve observar meios similares aos acima examinados e jamais estar ocioso em tempos pacíficos, mas com astúcia fazer-se cabeça, para bastar a si mesmo na adversidade vindoura, de modo que, quando nascerem as mudanças, encontre-se preparado para resistir-lhes.

XV
As coisas pelas quais os homens e, especialmente, os príncipes são louvados ou desprezados

Resta agora ver quais devem ser as qualidades de um príncipe para com os súditos ou os amigos. E como eu sei que muito sobre isso tem sido escrito, duvido, escrevendo ainda eu, não ser tido como presunçoso, ainda mais porque parto, ao debater essa matéria, dos resultados dos outros. Mas sendo o meu intento escrever coisa útil a quem a entenda, pareceu-me mais conveniente tratar da verdade efetiva da coisa do que da imaginação sobre essa coisa. E muitos imaginaram repúblicas e principados que nunca foram vistos nem conhecidos na realidade, porque há tanta distância de como se vive a como se deveria viver, que aquele que deixa aquilo que se faz por aquilo que se deveria fazer aprende mais a ruína do que a sua preservação: porque um homem que queira professar o bem em toda a parte arruína-se entre tantos que não são bons. Portanto, é necessário a um príncipe, querendo manter-se, que aprenda a não ser bom, e usar esse aprendizado e não o usar segundo a necessidade.

Deixando, portanto, para trás as coisas relativas a um príncipe imaginado e discorrendo sobre aqueles que existem verdadeiramente, digo que todos os homens e, sobretudo, os príncipes, por serem postos mais altos, são notados por algumas dessas qualidades que lhes trazem ou reprovação ou louvor. E por isso que um é notado como liberal, outro como mísero (usando um termo toscano, porque avaro em nossa língua é ainda aquele que, pela rapina, deseja ter, e mísero chamamos nós aquele que se abstém demasiadamente de usar o seu); um é notado como doador, o outro rapinante; um cruel, o outro piedoso; um infiel, o outro fiel; um efeminado e frouxo, o outro másculo e corajoso; um humano, outro soberbo; um lascivo, o outro casto; um íntegro, o outro astuto; um duro, o outro amável; um sério, o outro leviano; um religioso, o outro incrédulo, e similares qualidades. E eu sei que todos concordariam que seria coisa louvabilíssima encontrar-se em um príncipe, de todas as qualidades acima descritas, aquelas que são tidas como boas; porém, como não as têm, nem pode observá-las inteiramente, pois são as condições humanas que não o consentem, ele necessita ser tão prudente que saiba fugir à infâmia daqueles vícios que lhe tirariam o Estado e, daqueles que não lhe tirariam o Estado, precaver-se, se for possível; todavia, não podendo, deve deixá-los andar com menor precaução do que os primeiros. E também não se cuide de incorrer na infâmia daqueles vícios sem os quais dificilmente possa salvar o Estado, porque, caso se considerar bem tudo, se encontrará qualidade que parecerá *virtù* e, seguindo-a, será a sua ruína; e uma outra que parecerá vício e, seguindo-a, leva à segurança e ao seu bem-estar.

XVI
Da liberalidade e da parcimônia

Referindo-me, agora, às primeiras qualidades acima descritas, digo que seria bom ter a qualidade da liberalidade; todavia, se usada de modo que tu ganhes a fama de liberal, ofende-te; porém, se é usada *virtuosamente* e como deve ser usada, não a tornas conhecida, e não poderás evitar a infâmia de seu contrário. E ainda, querendo manter entre os homens a fama de liberal, é necessário não ignorar a qualidade da suntuosidade; de modo que sempre um príncipe assim disposto consumirá em semelhantes obras todos os seus recursos, necessitando ao fim, se ainda quiser manter a fama de liberal, taxar a população extraordinariamente e ser fiscal, e fazer todas aquelas coisas que se podem fazer para ter dinheiro. O que começará a fazê-lo odioso entre os súditos, pouco estimado, tornando-se pobre; de modo que, com essa sua liberalidade, tendo ofendido a muitos e premiado a poucos, abala-se ao primeiro aperto e é ameaçado ao primeiro perigo; ao dar-se conta disso, e querendo retratar-se, incorre subitamente na infâmia de mísero.

Um príncipe, portanto, não podendo usar, sem prejuízo para si, essa *virtù* da liberalidade de modo que seja conhecida, deve, se ele é prudente, não temer o nome de mísero; porque, com o tempo, será tido sempre mais liberal; vendo que, com a sua parcimônia, os seus recursos são suficientes, pode defender-se de quem lhe faz guerra, pode fazer empreendimentos sem sobretaxar a população, de modo que usa a liberalidade para com todos os que não prejudica, que são infinitos, e é miserável para com todos aqueles a quem prejudica, que são poucos. Nos nossos tempos, não temos visto realizarem grandes coisas senão aqueles que são tidos como míseros; os outros se arruinaram. O Papa Júlio II, que se serviu do nome liberal para ser pontificado, não pensou depois em manter a liberalidade para poder fazer guerra; o atual rei da França tem feito tanta guerra sem impor um tributo extraordinário aos seus, somente porque administrou seus gastos supérfluos com a sua longa parcimônia; o atual rei da Espanha, se fosse tido como liberal, não teria feito nem vencido tantos empreendimentos.

Portanto, um príncipe não deve temer, para não ter que roubar os súditos, para poder defender-se, para não se tornar pobre e desprezado, para não ser forçado a se tornar rapinante, incorrer no nome de mísero, porque esse é um daqueles vícios que lhe permitem reinar. E se alguém dissesse: "César com a liberalidade chegou ao império, e muitos outros, por serem tidos liberais, alcançaram graus elevadíssimos", respondo: ou tu és príncipe feito, ou tu és príncipe que estás te fazendo. No primeiro caso, a liberalidade é danosa; no segundo, é bem necessário ser tido como liberal. E César era um daqueles que queriam ocupar o principado de Roma; mas se, depois de ocupado, tivesse sobrevivido e não tivesse temperado os gastos, teria destruído aquele império. E se alguém replicasse: "Muitos tornaram-se príncipes, e com os exércitos fizeram grande coisa, que são Estados tidos como liberalíssimos", respondo:

ou o príncipe gasta do seu e de seus súditos ou dos outros; no primeiro caso, deve ser parco; no outro, não deve deixar para trás parte alguma de liberalidade. E aquele príncipe que sai com os exércitos, que se alimenta da rapinagem, dos saques de guerra e de impostos das províncias ocupadas, administra o que é dos outros, e a ele é necessária essa liberalidade; de outro modo, não seria seguido pelos soldados. E daquilo que não é teu, ou de teus súditos, podes ser um grande doador, como foram Ciro, César e Alexandre, porque gastar o que é dos outros não te retira, mas soma reputação. Somente gastar o teu é o que te prejudica. E não há coisa que consuma mais a si mesma do que a liberalidade: enquanto tu a usas, perdes a capacidade de usá-la e tornas-te ou pobre ou desprezado, ou, para fugir da pobreza, rapinante e odioso. E entre todas as coisas contra as quais um príncipe deve precaver-se estão o desprezo e o ódio; e a liberalidade a uma ou outra coisa te conduz. Portanto, é mais prudente ter-se o nome de mísero, que faz nascer uma infâmia sem ódio, do que, por querer o nome de liberal, ser necessitado a incorrer no nome de rapinante, que faz nascer uma infâmia com ódio.

XVII
Da crueldade e da piedade; se é melhor ser amado do que temido, ou o contrário

Descendo em seguida às outras qualidades acima faladas, digo que qualquer príncipe deve desejar ser tido como piedoso e não como cruel; porém, deve cuidar para não usar mal essa piedade. César Bórgia era tido como cruel. Todavia, aquela sua crueldade organizou a Romanha, unindo-a, reduzindo-a à paz e à fidelidade. Bem considerado, se verá que ele era muito mais piedoso que o povo florentino, o qual, para fugir ao nome de cruel, deixou destruir Pistoia. Deve, portanto, um príncipe não fugir da infâmia de cruel para ter os seus súditos unidos e fiéis, porque, com pouquíssimos exemplos, será mais piedoso do que aqueles que, por demasiada piedade, deixaram seguir as desordens, das quais nascem os assassinatos ou a rapinagem; além disso, aqueles ofendem uma comunidade inteira, mas as execuções que venham do príncipe ofendem alguém em particular. E, entre todos os príncipes, ao príncipe novo é impossível fugir do nome de cruel, por serem os Estados novos plenos de perigos. E Virgílio, na boca de Dido, disse:

> A dureza da situação e o fato de a possessão ser nova
> obrigam-me a manter a tudo e a todos sob custódia.

Contudo, deve ser ponderado ao crer e ao mover-se, nem fazer medo a si mesmo e proceder de modo que, temperado com prudência e humanidade, a confiança excessiva não o faça incauto e a desconfiança excessiva não o faça intolerante.

Nasce disso uma disputa: se a ele é melhor ser amado do que temido, ou o contrário. Responde-se: nem um, nem outro, mas ambos. No entanto, como é difícil estarem juntos, é muito mais seguro ser temido do que amado, quando há de faltar um dos dois. Porque dos homens se pode dizer isto geralmente: que são ingratos, volúveis, simuladores, dissimuladores, covardes, ambiciosos; e, enquanto fazes o seu bem, são todos teus, oferecem-te o sangue, os bens, a vida, os filhos, quando a adversidade está longe, como acima se disse; porém, quando a ti se aproxima, eles se revoltam. E aquele príncipe que se fundar totalmente nas palavras deles, encontrando-se nu de outras preparações, arruína; porque a amizade ou é conquistada por um preço ou pela grandeza e nobreza de espírito. No primeiro caso, há compra, mas não há posse verdadeira e, por isso, nas circunstâncias adversas ela é desfeita, ao contrário da segunda. E os homens têm menos pudor em ofender alguém que se faça amar do que alguém que se faça temer, porque o amor é mantido por um vínculo de obrigação mútua, o qual, por serem os homens maus, é rompido nas ocasiões adversas aos interesses próprios. Todavia, o temor é mantido pelo medo da punição que não te abandona jamais.

Deve, no entanto, o príncipe fazer-se temer de modo que, se não conquista o amor, que fuja ao ódio, porque podem muito bem estar juntos o temor e a ausência de ódio, o que alcançará sempre, desde que se abstenha dos bens de seus cidadãos e seus súditos, e das suas mulheres. E, mesmo quando precisar proceder contra o sangue de alguém, deve fazê-lo quando haja justificação conveniente e causa manifesta. Mas, sobretudo, abster-se dos bens dos outros, porque os homens esquecem mais rapidamente a morte do pai do que a perda do patrimônio. Além disso, justificativas para tirar os bens não faltam nunca; e, sempre, aquele que começa a viver da rapina encontra justificativas para adonar-se do que é dos outros: e, ao contrário, proceder contra o sangue é mais raro e cessa mais rapidamente.

Porém, quando o príncipe está com os exércitos e tem sob seu governo multidão de soldados, então é totalmente necessário não descuidar do nome de cruel, porque, sem esse nome, não se mantém jamais o exército unido nem disposto a alguma façanha. Entre as incríveis ações de Aníbal se enumera esta que, tendo um exército grossíssimo, misto de infinitas gerações de homens, conduziu a milícia em terra estrangeira, não lhe surgindo nenhuma desavença, nem entre eles, nem contra o príncipe, tanto na adversidade como na prosperidade. O que não pode nascer de outra senão daquela sua crueldade inumana, a qual, junto com sua *virtù* infinita, o fez sempre, no conceito de seus soldados, venerado e terrível; e, sem aquela, sua *virtù* não lhe bastaria para causar esse efeito. E os escritores, quanto a isso merecedores de pouca consideração, de um lado admiram o efeito de sua ação e, de outro lado, condenam a principal causa desta.

E que seja verdadeiro que a sua *virtù* não seria bastante, pode-se avaliar através de Cipião, raríssimo não somente nos seus tempos, mas em toda a memória das coisas que se sabem, do qual se diz que seus exércitos na Espanha rebelaram-se. O que não nasceu senão da sua demasiada piedade, a qual havia dado a seus soldados mais licenciosidade do que convinha à disciplina militar, licenciosidade que foi reprovada por Fábio Máximo no senado, e Cipião chamado de corruptor do exército romano. Os Locrensi, tendo sido destruídos por um pretor de Cipião, não foram por ele vingados, nem a insolência daquele subordinado corrigida, nascendo tudo daquela sua natureza fácil; de tal forma que, querendo alguém do senado escusá-lo, disse que, como ele era de muitos homens, sabia ser melhor não errar do que corrigir os erros; natureza a qual, com o tempo, teria violada a fama e a glória de Cipião, se ele tivesse com a licenciosidade perseverado no império; porém, vivendo sob o governo do senado, essa sua qualidade danosa somente se ocultou, embora tenha sido o motivo aparente de sua glória.

Concluo, portanto, voltando ao ser temido e amado, que, amando os homens segundo a sua vontade, e temendo segundo a vontade do príncipe, deve o príncipe sábio fundar-se naquilo que é seu, não naquilo que é dos outros: deve somente engenhar-se em fugir do ódio, como disse.

XVIII
De que modo os príncipes devem observar a fidelidade

Quanto seria louvável em um príncipe manter a fidelidade e viver com integridade e não com astúcia, qualquer um o entende; no entanto, vê-se, por experiência, em nossos tempos, que os príncipes que fizeram grande coisa tiveram a fidelidade em pouca conta e souberam, com a astúcia, estontear os cérebros dos homens e, ao fim, têm superado aqueles que se fundaram na sua lealdade.

Deveis, portanto, saber que dois são os modos de combater: um, com as leis, o outro, com a força; o primeiro é próprio do homem, o segundo é próprio dos animais. Como o primeiro muitas vezes não basta, convém recorrer ao segundo. Portanto, a um príncipe é necessário saber usar bem a besta e o homem. Essa matéria tem sido ensinada aos príncipes, metaforicamente, pelos antigos escritores, os quais escreveram como Aquiles e muitos outros daqueles príncipes antigos foram dados, para serem nutridos, ao centauro Quíron, que, sob a sua disciplina, educou- os. Ter por educador um meio besta meio homem não quer dizer senão que um príncipe precisa saber usar uma e outra natureza; e uma sem a outra não é duradoura.

Sendo, portanto, necessário a um príncipe saber usar bem a besta, deve imitar a raposa e o leão, porque o leão não se defende das armadilhas, a raposa não se defende dos lobos. Precisa, portanto, ser raposa para conhecer as armadilhas e leão para atemorizar os lobos. Aqueles que usam simplesmente o leão não se mantêm de forma duradoura. Não pode, portanto, um príncipe prudente, nem deve observar a fidelidade quando tal observância se volta contra si e não existam mais as causas da promessa de fidelidade. E, se os homens fossem todos bons, esse preceito não seria bom; porém, como são maus e não observariam a fidelidade em relação a ti, tu também não tens por que observá-la em relação a eles. Nem jamais faltaram a um príncipe razões legítimas para colorir a inobservância. Disso se pode dar infinitos exemplos modernos e mostrar quanta paz, quanta promessa são feitas irrisórias e vãs pela infidelidade dos príncipes; e aquele que melhor soube usar a raposa teve maior sucesso. Mas é necessário saber colorir bem essa natureza e ser um grande simulador e dissimulador: e os homens são tão simples, tanto obedecem às necessidades presentes, que aquele que engana encontrará sempre quem se deixe enganar.

Eu não quero, dos exemplos recentes, calar sobre um. Alexandre VI não fez outra coisa, não pensou em outra coisa senão em enganar os homens: e sempre encontrou material humano para fazê-lo. E não houve jamais um homem que tivesse maior eficácia em asseverar solenemente e que com maiores juramentos afirmasse alguma coisa, mas que a observasse menos; no entanto, sempre conseguiu enganar quem quisesse, porque conhecia bem essa parte do mundo.

A um príncipe, portanto, não é necessário ter, de fato, todas as qualidades supracitadas, mas é bem necessário parecer tê-las. Antes ousaria dizer que, havendo-as e observando-as sempre, são danosas; e parecendo tê-las, são úteis; como parecer piedoso, fiel, humano, íntegro, religioso, e sê-lo; mas estar com o ânimo edificado de modo que, precisando não ser, tu possas e saibas mudar-te ao contrário. E há que se entender isso, que um príncipe, sobretudo um príncipe novo, não pode observar todas aquelas coisas pelas quais os homens são tidos como bons, sendo mesmo necessário, para manter o Estado, operar contra a fé, contra a caridade, contra a humanidade, contra a religião. E também é preciso que ele tenha o ânimo disposto a mudar-se segundo o comando dos ventos da fortuna e as variações das coisas e, como acima se disse, a não abandonar o bem, podendo, mas saber entrar no mal, se necessário.

Deve, portanto, um príncipe ter grande cuidado para que não lhe saia da boca senão o que esteja pleno das cinco qualidades acima descritas; e que pareça, ao verem-no e ouvirem-no, todo piedade, todo fidelidade, todo integridade, todo humanidade, todo religião. E não há coisa mais necessária do que parecer ter esta última qualidade. E os homens, em geral, julgam mais pelos olhos do que pelas mãos, porque ver cabe a todos, sentir a poucos. A maioria vê o que tu pareces, poucos sentem aquilo que tu és; e esses poucos não ousam opor-se à opinião de muitos que têm a majestade do Estado que os defenda; e, nas ações de todos os homens e, sobretudo, dos príncipes, onde não há juiz a quem reclamar, cuida-se o fim. Cuide, portanto, um príncipe de ocupar e manter o Estado: os meios serão sempre julgados honrados e por todos louvados, porque o vulgo não se prende senão naquilo que parece e no evento da coisa; e no mundo não há senão o vulgo; e os poucos não têm espaço se não têm onde se apoiar. Um príncipe da atualidade, a quem não é bom denominar, não prega outra coisa senão a paz e a fidelidade, e de uma e de outra é inimicíssimo; e uma e outra, se as tivesse observado, teriam-lhe rapidamente tomado ou a reputação ou o Estado.

XIX
Da fuga do desprezo e do ódio

Como, a propósito das qualidades acima mencionadas, eu falei das mais importantes, quero discorrer brevemente sobre outras sob a seguinte generalidade: que o príncipe pense, como acima em parte foi dito, em fugir das coisas que o façam odiado e desprezado. E, fugindo a isso, terá feito a sua parte e não encontrará nas outras infâmias perigo algum. Odioso o faz, como eu disse, a rapinagem e a usurpação dos bens e das mulheres dos súditos, do que se deve abster, e sempre que não se toma os bens nem a honra dos homens, vivem contentes; e somente se há de combater contra a ambição de poucos, a qual de muitos modos, e com facilidade, refreia-se. Desprezado o faz a fama de inconstante, frívolo, efeminado, pusilânime, irresoluto: do que um príncipe deve precaver-se, como de um rochedo, e engenhar-se de modo que nas suas ações se reconheça grandeza, coragem, gravidade, fortaleza; e, quanto à sua conduta nas disputas particulares entre os súditos, querer que a sua sentença seja irrevogável; e mantenha-se em tal opinião, que não pensem em enganá-lo nem em lográ-lo.

Aquele príncipe que transmite de si essa opinião tem boa reputação. E contra quem tem boa reputação com dificuldade se conspira, com dificuldade é atacado, porque se entende que seja excelente e reverenciado entre os seus. Porque um príncipe deve manter dois medos de si: um dentro, por conta dos súditos; o outro de fora, por conta das potências externas. Destas se defende com as boas armas e os bons amigos; e sempre, se tiver boas armas, terá bons amigos; e sempre estarão firmes as coisas de dentro quando estiverem firmes aquelas de fora, se já não foram perturbadas por alguma conspiração; e mesmo que aqueles de fora se movam, se o príncipe for organizado e vivido, como disse, e se não se abandonar a si mesmo, sempre sustará o ímpeto inimigo, como eu disse que fez o espartano Nábis. Mas acerca dos súditos, quando as coisas de fora não se movem, deve-se temer que conspirem secretamente: do que o príncipe se assegurará fugindo do desprezo e do ódio e mantendo os súditos satisfeitos com ele, o que é necessário conseguir, como acima se falou longamente. E um dos mais eficazes remédios que tem um príncipe contra a conspiração é não ser odiado pela maioria: porque sempre quem conspira acredita, com a morte do príncipe, satisfazer o povo; porém, quando acredita ofendê-lo, não tem ânimo para tomar semelhante partido, porque as dificuldades que existem da parte dos conspiradores são infinitas. E, por experiência, vê-se que muitas foram as conspirações, mas poucas tiveram um bom fim, porque quem conspira não pode estar sozinho, nem pode aliar-se senão com aqueles que acredita também estarem descontentes; e, logo que a um descontente houveres revelado o teu propósito, dá-lhe a oportunidade para contentar-se, porque seguramente ele pode esperar ser favorecido: de modo que, vendo o ganho firme da parte do príncipe, e da tua parte vendo o ganho dúbio e pleno de perigos, convém bem que seja, ao declarar-te a fidelidade, ou um raro amigo, ou que seja, em tudo, obstinado inimigo do príncipe. E, para resumir a coisa em breves termos, digo que, da parte do conspirador, não há senão medo, ciúme e suspeita de punição que o aterrorizam; porém, da parte do príncipe, é a majestade do principado, são as leis, a segurança dos amigos e do Estado que o defendem: de modo que, somadas a todas essas coisas a benevolência popular, é impossível que alguém seja tão temerário que conspire. Porque, normalmente, onde um conspirador há a temer apenas antes da execução do mal, nesse caso, seguido o excesso, o conspirador deve temer ainda depois, visto que tem como inimigo o povo, nem podendo, por isso, esperar refúgio algum.

Dessa matéria se poderia dar infinitos exemplos, mas me contentarei com apenas um, trazido à memória pelos nossos pais. O Senhor Aníbal Bentivoglio, avô do presente Senhor Aníbal, era príncipe em Bolonha; foi assassinado pelos Canneschi, que conspiraram contra ele, não sobrevivendo ninguém da parte dele senão o Senhor Giovanni, que era ainda criança; imediatamente após tal homicídio, o povo levantou-se e matou todos os Canneschi. O que nasceu da benevolência popular que a casa dos Bentivoglio tinha naqueles tempos, a qual foi tanta que, não restando daquela ninguém em Bolonha que pudesse, morto Aníbal, reger o Estado, e havendo indício de que em Florença havia um nascido Bentivoglio que se mantivera até então como filho de um ferreiro, foram os bolonhenses a Florença por isso e ofereceram-lhe o governo de sua cidade, a qual foi governada por ele até que o Senhor Giovanni chegasse à idade conveniente ao governo.

Concluo, portanto, que um príncipe deve ter a conspiração em pouca conta, quando o povo lhe é benéfico; porém, quando lhe é inimigo e lhe tem ódio, deve temer a tudo e a todos. E os Estados bem organizados e os príncipes sábios, em cada diligência sua, pensam em não desesperar os grandes e satisfazer o povo e mantê-lo contente, porque esta é uma das mais importantes matérias com as quais um príncipe deve ocupar-se.

Entre os reinos bem ordenados e governados, em nossos tempos, está o da França: e nele se encontram infinitas boas constituições, das quais depende a liberdade e a segurança do rei. Das quais a primeira é o parlamento e a sua autoridade, porque aquele que organizou esse reino, conhecendo a ambição dos poderosos e a insolência deles, e julgando ser necessário impor a eles um freio na boca que os corrigisse e, de outra parte, conhecendo o ódio, fundado no medo, da maioria contra os grandes, e querendo assegurar-se, não quis que essa função particular ficasse ao cuidado do rei, para poupá-lo do desgaste que poderia haver com os grandes ao favorecer os populares, e com os populares ao favorecer os grandes. E assim constituiu um poder mediador, que fosse aquele que, sem desgastar o rei, controlasse os grandes e favorecesse os menores. Não poderia ser melhor esse ordenamento nem mais prudente, nem haver maior causa de segurança do rei e do reino. Do que se pode retirar uma outra regra notável: que os príncipes devem delegar os assuntos desgastantes aos outros, e as graças a si mesmos. De novo concluo que um príncipe deve estimar os grandes, mas não se fazer odiar pelo povo.

Pareceria talvez a muitos, considerando a vida e a morte de alguns imperadores romanos, que fossem exemplos contrários a essa minha opinião, encontrando algum que sempre foi visto egregiamente e que mostrou grande *virtù* de ânimo, ainda que tenha perdido o império, ou tenha sido morto por conspiradores patrícios seus. Querendo, portanto, responder a essa objeção, discorrerei sobre as qualidades de alguns imperadores, mostrando que as causas de sua ruína não discordam daquilo que argumentei. E, enquanto isso, colocarei em consideração aquelas coisas que são notáveis a quem estuda as ações daqueles tempos. E basta-me examinar todos aqueles imperadores que sucederam ao império de Marco, o filósofo, até Maximino, os quais foram Marco, seu filho Cômodo, Pertinax, Juliano, Severo, Antonino, seu filho Caracalla, Macrino, Heliogábalo, Alexandre e o próprio Maximino. E é de se notar que, primeiramente, onde nos outros principados somente existiam contendas entre a ambição dos grandes e a insolência dos populares, os imperadores romanos tinham uma terceira dificuldade: ter que suportar a crueldade e a ambição dos soldados. O que era coisa tão difícil que ela foi a causa da ruína de muitos, sendo difícil satisfazer os soldados e os populares, porque os populares amavam a paz e, por isso, amavam os príncipes moderados, e os soldados amavam o príncipe que tivesse ânimo militar e que fosse insolente, cruel e rapinante; qualidades que eles queriam que o príncipe exercitasse contra o povo, para terem duplicados os gastos consigo mesmos e desafogarem a sua ambição e a sua crueldade. Essas coisas provocaram sempre a ruína daqueles imperadores que, por natureza ou arte, não tinham uma grande reputação a ponto de, com ela, manterem um e outro no freio. A maior parte deles, sobretudo aqueles que como príncipes novos chegaram ao principado, conheceram a dificuldade dessas duas diversas disposições, voltando-se, por isso, à satisfação dos soldados e subestimando a injúria ao povo. Decisão que era necessária, porque, não podendo os príncipes deixar de ser odiados por uma das partes, devem, primeiramente, esforçar-se para não serem odiados pela maioria; e, quando não conseguem isso, devem engenhar-se para fugir do ódio daquela parte da maioria que é mais poderosa. Por isso, aqueles imperadores que, por serem novos, precisavam de favores extraordinários aderiram mais aos soldados do que ao povo; o que os tornava, no entanto, úteis ou não, dependia da capacidade do príncipe novo em se manter respeitado junto deles. Dessas causas nasce que Marco, Pertinax e Alexandre, sendo todos de vida moderada, amantes da justiça, inimigos da crueldade, humanos, benignos, tivessem todos, fora Marco, um triste fim. Somente Marco viveu e morreu honradíssimo, porque ele chegou ao império por direito hereditário e não precisava da legitimidade nem dos soldados nem do povo; além disso, sendo acompanhado por muita *virtù* que o fazia venerado, manteve sempre, enquanto viveu, o povo e os soldados nos seus devidos lugares e não foi jamais odiado nem desprezado. Mas Pertinax, criado imperador contra a vontade dos soldados, os quais, estando acostumados a viver licenciosamente sob o império de Cômodo, não puderam suportar aquela vida honesta à qual Pertinax os queria limitar; por isso, havendo-se criado ódio, e a esse ódio somado o desprezo por ser um homem velho, caiu bem no início de sua administração.

E aqui se deve observar que se provoca o ódio tanto mediante as boas obras, como as más: e assim, como eu disse acima, querendo um príncipe manter o Estado, é muitas vezes forçado a não ser bom, porque, quando a maioria, ou o povo ou os soldados ou os grandes que sejam, da qual tu dependes para manter-te, está disposta à corrupção, convém-te seguir essa disposição para satisfazê-la e, então, as boas obras são tuas inimigas. Mas venhamos a Alexandre, o qual foi de tanta bondade que entre os outros louvores a ele atribuídos está este: em quatorze anos que manteve o império, ninguém foi morto sem ter sido julgado; no entanto, sendo tido como efeminado, e homem que se deixasse governar pela mãe, e por isso vindo a ser desprezado, conspirou contra ele o exército, e mataram-no.

Discorrendo agora, por oposição, sobre as qualidades de Cômodo, de Severo, Antonino, Caracalla e Maximino, encontrarei-os crudelíssimos e ambiciosíssimos, os quais, para satisfazerem aos soldados, não perdiam nenhuma oportunidade em que pudessem cometer algum tipo de injúria contra o povo; e todos, exceto Severo, tiveram triste fim. Em Severo havia tanta *virtù* que, mantendo os soldados amigos (ainda que o povo fosse por ele sobrecarregado), pôde sempre reinar felizmente; além disso, a sua *virtù* o fazia tão incrível no conceito dos soldados e dos populares, que estes permaneciam um tanto atônitos e estupefatos, e os outros reverentes e satisfeitos.

E porque as ações de Severo foram grandes e notáveis em um príncipe novo, eu quero mostrar brevemente quão bem sabia usar o modo da raposa e do leão: naturezas que a um príncipe é necessário imitar, como eu digo acima. Conhecendo Severo a indolência do Imperador Juliano, persuade o seu exército, do qual era capitão na Eslavônia, a entrar em Roma e vingar a morte de Pertinax, o qual havia sido morto pelos soldados pretorianos. E sob essa coloração, sem mostrar que aspirava ao império, enviou o exército contra Roma e chegou à Itália antes que se soubesse da sua partida da Eslavônia. Chegando a Roma, foi, por temor, eleito imperador pelo senado, e Juliano foi morto.

Restavam, depois desse início, duas dificuldades a Severo, querendo assenhorar-se de todo o Estado: uma na Ásia, onde Pescênio Nigro, chefe dos exércitos asiáticos, fez-se chamar imperador; e outra a sol poente, onde Albino também aspirava ao império. E, porque julgava perigoso declarar-se inimigo aos dois, deliberou atacar Nigro e enganar Albino. Ao qual escreveu dizendo que, tendo sido eleito imperador pelo senado, queria dividir essa dignidade com ele e ofereceu-lhe o título de César dizendo que, por deliberação dos senadores, haviam feito colegas a eles dois. Essas coisas foram aceitas por Albino como verdadeiras. Mas como Severo havia vencido e matado Nigro, e assim pacificado as coisas do Oriente, retornando a Roma queixou-se, no senado, falando como Albino, pouco reconhecendo os benefícios recebidos por Severo, havia dolosamente tentado assassiná-lo e, por isso, havia necessidade de punir a sua ingratidão. Depois foi encontrá-lo na França e tomou-lhe o Estado e a vida.

Quem examinar, portanto, minuciosamente as ações de Severo o enxergará como um ferocíssimo leão e uma astutíssima raposa; e o verá temido e reverenciado por todos e não odiado pelos exércitos; e não se maravilhará que ele, príncipe novo, tenha podido manter tanto império, porque sua grandíssima reputação o defendeu sempre daquele ódio que lhe poderia ter o povo pela sua conduta rapinante. Antonino, seu filho, foi também um homem que tinha qualidades excelentíssimas e que o faziam maravilhoso no conceito do povo e gratificante no conceito dos soldados, porque era homem militar, capaz de suportar qualquer fadiga, desprezando comida delicada e outras mordomias: o que o fazia ser amado por todos os exércitos; no entanto, a sua ferocidade e crueldade foram tantas e tão inauditas, por ter, depois de inúmeros assassinatos em particular, morto grande parte do povo de Roma e todo o povo da Alexandria, que se tornou odiosíssimo por todo o mundo. E começou também a ser temido por aqueles mais próximos; de modo que foi assassinado por um centurião, em meio ao seu próprio exército. Onde é de se notar que mortes similares à de Antonino, as quais se seguem por deliberação de um ânimo obstinado, são inevitáveis aos príncipes, pois qualquer um que não tema a morte pode ofendê-lo; todavia, bem deve o príncipe temer menos esse tipo de morte, porque são raríssimas. Deve somente cuidar para não fazer grave injúria a algum daqueles que o serve e que está próximo a serviço de seu principado: como havia feito Antonino, o qual havia morto de forma ultrajante um irmão daquele centurião, a quem cada dia ameaçava, embora o mantivesse na guarda pessoal, o que era decisão temerária e arriscada, como ficou provado.

Mas voltemos a Cômodo, o qual teria grande facilidade para manter o império, por havê-lo herdado, sendo filho do Imperador Marco; e somente lhe bastaria seguir os vestígios do pai, e os soldados e os súditos teria satisfeito. Porém, sendo de ânimo cruel e bestial, para poder usar sua rapacidade contra o povo, volta-se ao lisonjeio dos exércitos e a fazê-los licenciosos; de outra parte, não mantendo a sua dignidade, descendo mesmo às arenas para combater com os gladiadores, e fazendo outras coisas vilíssimas e pouco dignas da majestade imperial, tornou-se desprezado no conceito dos soldados. E sendo odiado de uma parte e desprezado de outra, conspiraram contra ele, e foi morto.

Resta ainda narrar as qualidades de Maximino. Ele foi um homem belicosíssimo; e, estando os exércitos cansados com a moleza de Alexandre, de quem anteriormente falei, morto este, elegeram Maximino. O qual não se manteve por muito tempo, porque duas coisas o fizeram odiado e desprezado: uma, ser de origem humilde, pois já havia cuidado de ovelhas na Trácia (fato que era por todos conhecido e motivo de grande desprezo no conceito geral); a outra, porque, não tendo ainda, no início de seu principado, entrado solenemente em Roma e nas dependências da sede imperial, já havia dado de si opinião de crudelíssimo, havendo, por ordem dele, seus prefeitos, em Roma e em vários lugares do império, praticado muita crueldade. Tal que, da comoção desdenhosa pela vilania de sua origem e do ódio devido ao medo de sua ferocidade, primeiramente se rebelou a África, depois o senado com todo o povo de Roma; e toda a Itália conspirou-lhe contra. A que se somou o seu próprio exército, o qual, assediando Aquileia e encontrando dificuldade na expugnação, cansados da sua crueldade, e por ver tantos inimigos temendo-o menos, matou-o.

Eu não quero raciocinar nem sobre Heliogábalo, Macrino ou Juliano, os quais, por serem totalmente desprezados, foram-se subitamente. Mas irei à conclusão deste discurso. E digo que, para os príncipes de nossos tempos, é menor essa dificuldade em satisfazer extraordinariamente aos seus soldados, porque, embora se deva ter em relação a eles alguma consideração, também a dificuldade se resolve rapidamente, porque esses exércitos não são arraigados com os governos e as administrações das províncias, como eram os exércitos do Império Romano. E se então era necessário satisfazer mais aos soldados que ao povo, era porque os soldados podiam mais do que o povo; agora é mais necessário a todos os príncipes, exceto o turco e o sultão, satisfazer mais ao povo do que aos soldados, porque o povo pode mais do que aqueles. Daqui eu excetuo o turco, pois este mantém sempre em sua volta doze mil infantes e quinze mil cavaleiros, dos quais depende a segurança e a fortaleza de seu reino: e é necessário que, deixando de lado qualquer outra consideração, aquele senhor os mantenha amigos. Similarmente o reino do sultão; estando tudo nas mãos dos soldados, convém que também ele, a despeito do povo, mantenha-os amigos. E haveis de notar que esse Estado do Sultão é disforme de todos os outros principados, porque ele é semelhante ao pontificado cristão, o qual não se pode chamar nem principado hereditário nem principado novo, uma vez que o herdeiro e novo senhor não é o filho do príncipe velho, mas alguém eleito para o posto por aqueles que têm autoridade para tanto. E, sendo esse ordenamento antigo, não se pode chamar tal principado de novo, porque não existem aqui algumas daquelas dificuldades que são próprias dos novos; por outro lado, se bem que o príncipe seja novo, os ordenamentos daquele Estado são velhos, de tal forma que o novo príncipe é recebido como se fosse hereditário.

Mas retornemos à nossa matéria. Digo que qualquer um que considerar o discurso acima verá o ódio e o desprezo como a causa da ruína daqueles imperadores acima denominados e conhecerá também donde nasce que parte deles procedendo de um modo e parte ao contrário, uns foram felizes e os outros, ao fim, foram infelizes. Porque a Pertinax e Alexandre, por serem príncipes novos, foi inútil e danoso quererem imitar Marco, que era príncipe hereditário; e similarmente a Caracalla, Cômodo e Maximino seria coisa perniciosa imitar Severo, por não terem *virtù* suficiente para seguir os seus vestígios. Portanto, um príncipe novo, em um principado novo, não pode imitar totalmente as ações de Marco, nem é necessário fazer o mesmo em relação a Severo; porém, deve tomar de Severo aquelas partes que, para fundar seu Estado, são necessárias, e de Marco aquelas partes que são convenientes e gloriosas para conservar um Estado que já esteja estabelecido e firme.

XX
Se as fortalezas e muitas outras coisas, que frequentemente são feitas pelos príncipes, são úteis ou não

Alguns príncipes, para manter seguramente o Estado, desarmaram os seus súditos; outros mantiveram divididas as terras dos súditos; alguns nutriram inimizades contra si mesmos; outros ainda se voltaram a conquistar a simpatia daqueles que lhe eram suspeitos no princípio de seu Estado; alguns edificaram fortalezas, outros as destruíram. E ainda que de todas essas coisas não se possa elaborar uma regra geral, senão examinar particularmente aqueles Estados onde se toma alguma semelhante deliberação, espero, no entanto, poder falar da forma mais abrangente que o assunto permitir.

Não houve jamais, portanto, um príncipe novo que desarmasse os seus súditos; antes, quando ele os encontrou desarmados, sempre os armou, porque, armando-os, aquelas armas tornam-se tuas; tornam-te fiéis aqueles que te eram suspeitos; e aqueles que eram fiéis se manterão e de súditos se farão teus partidários.
E porque todos os súditos não podem ser arma-

dos, quando beneficias aqueles que tu armas, com os outros estás mais seguro: pois aquela diversidade de procedimento, que os armados reconhecem ao serem beneficiados, os fazem a ti obrigados; os desarmados te desculparão, julgando ser necessário os armados terem mais mérito, visto que têm mais perigos a enfrentar e mais obrigações a cumprir. Todavia, quando tu os desarmas, tu começas a ofendê-los; mostras que deles desconfias ou por vilania ou por pouca fidelidade: e uma e outra dessas duas opiniões gera ódio contra ti. E, porque tu não podes estar desarmado, convém que te voltes à milícia mercenária, a qual tem os defeitos de que acima se falou; e ainda que ela fosse boa, não chega a tanto a ponto de te defender dos inimigos poderosos e dos súditos suspeitos. Por isso, como eu disse, um príncipe novo, em um principado novo sempre arma os súditos; e desses exemplos está plena a história.

No entanto, quando um príncipe ocupa um Estado novo que, como membro, se anexa ao seu velho Estado, então é necessário desarmar aquele Estado, exceto aqueles que no Estado ocupado são teus partidários; e a esses ainda, com o tempo e a ocasião, é necessário torná-los moles e efeminados, e organizar-se de modo que todas as armas de teu Estado sejam as de teus próprios soldados, que no teu Estado antigo viviam junto a ti.

Costumavam os nossos antepassados, e aqueles que eram estimados como sábios, dizer que era necessário manter Pistoia através de suas facções rivais e Pisa através de suas fortalezas e, por isso, seus governantes nutriam a discórdia nas cidades a eles submetidas para mantê-las mais facilmente. Isso, naqueles tempos em que o poder na Itália era, de um certo modo, equilibrado, devia ser bem feito. Mas não creio que se possa propor esse preceito para os dias de hoje, porque eu não creio que as divisões ainda façam algum bem; antes é inevitável, quando o inimigo se aproxima, que as cidades divididas se percam subitamente, uma vez que sempre a parte mais débil aderirá à força externa, e a outra não poderá suportar o ataque.

Os venezianos, movidos, como eu creio, pelas razões acima expostas, nutriam as facções guelfos e gibelinos nas cidades a eles submetidas; e ainda que jamais as deixassem chegar ao derramamento de sangue, também nutriam entre eles a desunião, de modo que, ocupados os cidadãos com as diferenças entre eles, não se uniam contra os venezianos. O que, como se viu, não os favoreceu posteriormente, porque, tendo sido derrotados em Vailá, subitamente uma parte daquelas cidades súditas levantou-se contra os venezianos, e tomaram-lhes todo o Estado. Métodos semelhantes denunciam, portanto, fraqueza do príncipe, porque em um principado vigoroso jamais se permitem semelhantes divisões; além disso, somente são proveitosas em tempo de paz, podendo-se, mediante a divisão, mais facilmente, manipular os súditos, mas vindo a guerra, aparece a falácia deste método.

Sem dúvida, os príncipes tornam-se grandes quando superam as dificuldades e as oposições que são feitas a eles; e, por isso, a fortuna, sobretudo quando quer fazer grande um príncipe novo, o qual tem maior necessidade de conquistar reputação do que um príncipe hereditário, faz-lhe nascer inimigos e faz-lhe enfrentá-los, de modo que ele tenha razões para superá-los e, por meio daquela escada oferecida pelos seus inimigos, chegar mais alto. Por isso muitos julgam que um príncipe sábio deve, quando tiver ocasião para isso, nutrir com astúcia a inimizade, de modo que, superado o inimigo, tenha aumentada a sua grandeza.

Têm os príncipes, em especial aqueles que são novos, encontrado mais fidelidade e mais utilidade naqueles homens que no princípio de seu Estado eram tidos como suspeitos do que aqueles que no princípio do Estado eram confiáveis. Pandolfo Petrucci, príncipe de Siena, regia o Estado mais com aqueles que lhe foram suspeitos do que com os outros. Mas sobre esse tema não se pode generalizar, porque varia segundo a circunstância. Somente direi isto, que aqueles homens que no início de um principado eram tidos como inimigos, que se caracterizam pela necessidade de um apoio para se manterem, sempre, com grandíssima facilidade, o príncipe os poderá ganhar; e eles principalmente são forçados a servi-lo com fidelidade, até porque sabem que é necessário cancelar com novas ações aquela opinião sinistra que se tinha deles; e assim o príncipe encontrará sempre mais utilidade neles do que naqueles que, servindo-o com excesso de confiança, descuidam a coisa sua.

E, como a matéria o exige, não quero deixar de recordar ao príncipe que ocupou um Estado mediante os favores intrínsecos daqueles habitantes, que considere bem qual causa que moveu aqueles que o favoreceram, a favorecê-lo; e, se ela não é uma afeição natural para com o novo príncipe, mas foi somente porque os favorecedores não estavam satisfeitos com o governo anterior, com grande fadiga e dificuldade os poderá manter como amigos, porque é quase impossível que ele possa contentá-los. E discorrendo bem, com aqueles exemplos trazidos das coisas antigas e modernas, a causa disso está em que é muito mais fácil tornar amigos aqueles homens que com o Estado anterior se contentavam, e por isso eram seus inimigos, do que aqueles que, por não se contentarem, tornaram-se amigos e favoreceram a ocupação.

E tem sido costume dos príncipes, para poderem manter mais seguramente os seus Estados, edificarem fortalezas, como rédea e freio contra os de dentro que desejassem contestá-los e como um refúgio seguro no caso de um súbito ataque. Eu louvo esse método, porque é usado desde os tempos antigos. No entanto, o Senhor Nicollò Vitelli, em nossos tempos, teve que desfazer duas fortalezas na cidade de Castello para manter aquele Estado. Guido Ubaldo, duque de Urbino, tendo retornado ao seu domínio em que por César Bórgia havia sido caçado, destruiu até a fundação todas as fortalezas desta província e julgou que sem elas mais dificilmente voltaria a perder aquele Estado. Os Bentivogli, de volta a Bolonha, tomaram semelhantes medidas. São, portanto, as fortalezas úteis ou não, segundo os tempos; e, se te fazem bem por um lado, ofendem-te por outro. E pode-se discorrer sobre essa parte assim: aquele príncipe que tem mais medo do povo que dos forasteiros deve fazer fortalezas; porém, aquele que tem mais medo dos forasteiros do que do povo deve deixá-las para trás. À casa dos Sforza tem feito e fará mais guerra o Castelo de Milão, edificado por Francisco Sforza, do que qualquer outra desordem daquele Estado. Por isso, a melhor fortaleza que há é não ser odiado pelo povo, porque, ainda que tu tenhas fortalezas, e o povo te tenha em ódio, elas não te salvam; além disso, não faltam jamais ao povo, tomado que tenha em armas, forasteiros que o socorram. Em nossos tempos, não se vê nenhum príncipe que tenha tido proveito na construção de fortalezas, exceto a condessa de Forli, quando foi morto o Conde Girolamo, seu marido: graças à fortaleza, ela pôde fugir ao ímpeto popular, esperar o socorro de Milão e recuperar o Estado. E as circunstâncias estavam de tal modo arranjadas que o forasteiro não pôde socorrer o povo. Mas depois a ela pouco valeram as fortalezas, quando César Bórgia a atacou, e o povo, seu inimigo, aliou-se ao forasteiro. Portanto, nas duas circunstâncias teria sido mais seguro a ela não ser odiada pelo povo a ter as fortalezas. Consideradas, portanto, todas essas coisas, eu louvo o construtor de fortalezas e não o louvo; e critico aquele que, apoiando-se nas fortalezas, tem em pouca estima ser odiado pelo povo.

XXI
O que convém a um príncipe para que seja estimado

Nenhuma coisa faz um príncipe ser tão estimado quanto realizar grandes empreendimentos e dar de si raros exemplos. Nós temos em nossos tempos Fernando de Aragão, atual rei da Espanha. Ele pode ser chamado de um príncipe quase novo, porque, de um rei débil tornou-se, pela fama e glória, o primeiro rei dos cristãos; e, caso se considerasse as suas ações, todas seriam qualificadas como grandíssimas e algumas até como extraordinárias. Ele, no princípio de seu reino, atacou Granada: e aquela empresa foi o fundamento de seu Estado. Primeiramente, não teve oposição ou motivo para temer qualquer oposição, pois mantém ocupados, ao longo do empreendimento, os ânimos dos barões de Castiglia, os quais, pensando na guerra entre eles, não pensavam em inovar. E ele conquistava, nesse meio-tempo, reputação e império sobre todos, que não se aperceberam disso; pôde nutrir, com dinheiro da Igreja e do povo, exércitos e fazer um fundamento, com aquela longa guerra, para a sua milícia, pela qual depois foi honrado. Além disso, para poder levar adiante maiores empresas ainda, servindo-se sempre da religião, volta-se a uma crueldade sob o manto da piedade, caçando e espoliando, em seu reino, os marranos: não pode ser esse exemplo mais miserável nem mais raro. Atacou, sob o mesmo manto da piedade, a África: fez empreendimento na Itália; e ultimamente tem atacado a França; e assim sempre tem feito e urdido coisas grandes, com as quais sempre tem mantido suspensos e admirados os ânimos dos súditos e ocupados com os desdobramentos dos fatos. E são urdidas estas suas ações de modo que, justapostas, não têm dado nunca, entre uma e outra, espaço aos homens para poderem calmamente operar-lhe contra.

É muito útil também a um príncipe dar de si exemplos raros acerca da governança interna, similares àqueles que se narram do Senhor Bernabò de Milão; conta-se que, quando havia ocasião em que qualquer um houvesse feito algo de extraordinário, ou no bem ou no mal, na vida civil, ele encontrava um modo de premiá-lo ou puni-lo, de forma que desse muito o que falar depois. E, sobretudo, um príncipe deve, em todas as suas ações, engenhar-se em dar de si fama de grande homem e de excelente cabeça.

É também estimado um príncipe quando é verdadeiro amigo e verdadeiro inimigo, isto é, quando, sem falso respeito, declara-se em favor de um contra o outro. Posição a qual é sempre mais útil do que estar neutro, porque se duas potências vizinhas a ti entram em guerra, ou são do tipo que, vencendo um dos dois, tu terás que temer o vencedor, ou não. Em qualquer um desses dois casos te será sempre mais útil declarar-te e fazer guerra leal, visto que, no primeiro caso, se tu não te declaras, serás sempre presa daquele que vence, com prazer e satisfação daquele que foi vencido, e não há razão nem coisa alguma que te defenda e te dê refúgio; além disso, quem vence não quer amigos suspeitos e que não o ajudam na adversidade, e quem perde não te recebe, por não teres tu com armas em mão corrido em sua ajuda.

Antíoco tinha passado na Grécia, enviado pelos etólios para atacar os romanos. Antíoco mandou oradores aos aqueus, que eram amigos dos romanos, para convencê-los a ficar no meio; e, de outra parte, os romanos os persuadiam a pegar em armas por eles. Vem essa matéria a ser deliberada no concílio dos aqueus, em que o representante de Antíoco argumentava a favor da neutralidade; a que o representante romano respondeu: "Quanto a isto que eles vos dizem, de não vos interpor na guerra, nada é mais distante de vosso interesse: sem gratidão e sem dignidade servireis de prêmio ao vencedor".

E sempre acontecerá que aquele que não é amigo te aconselhará a neutralidade, e aquele que te é amigo te pedirá que te cubras com as armas. E os príncipes irresolutos, para fugirem aos perigos presentes, seguem, geralmente, o caminho da neutralidade e, geralmente, arruínam-se. Mas quando o príncipe se cobre fortemente em favor de uma parte, se aquele a quem tu aderiste vence, ainda que seja poderoso e tu tenhas uma posição mais discreta, ele terá contigo deveres e mesmo laços de amizade. E os homens não são nunca tão desonestos que retribuam ao teu exemplo com a sua ingratidão. Depois, as vitórias nunca são tão definitivas, que o vencedor não tenha que ter mais qualquer respeito por ninguém e, sobretudo, justiça para com os outros. Porém, se aquele ao qual tu aderiste perde, tu serás recebido por ele e, enquanto depois te ajuda, torna-se teu companheiro de uma sorte que pode mudar. No segundo caso, quando aqueles que combatem entre si são tais que tu não tens por que temer o vencedor, mais prudente ainda é a adesão, porque provocas a ruína de um com a ajuda de quem o deveria salvar, se fosse sábio; e, vencendo, fica à tua mercê, pois é impossível, com a tua ajuda, que não vença.

E aqui é de se notar que um príncipe deve cuidar para nunca fazer aliança com um mais poderoso que ele, para ofender outros, senão quando a necessidade o obriga, como acima se mostrou, porque, vencendo, vira seu prisioneiro; e os príncipes devem fugir, tanto quanto podem, de estar à mercê de outros. Os venezianos aliaram-se à França contra o duque de Milão e podiam evitar aquela aliança; do que resultou a ruína deles. Mas quando não se pode fugir da aliança (como devia ter sucedido com os florentinos quando o papa e a Espanha andaram com os exércitos atacando a Lombardia), então o príncipe deve aderir pelas razões acima expostas. Nem creia que qualquer Estado possa sempre tomar um caminho seguro, antes o pense totalmente tomado de dúvidas, porque isso se encontra na ordem das coisas, que nunca se foge a um inconveniente sem incorrer em outro; contudo, a prudência consiste em saber conhecer a qualidade dos inconvenientes e tomar o caminho menos pior como melhor.

Deve também um príncipe mostrar-se amante da *virtù*, dando acolhimento aos homens *virtuosos*, e honrar os excelentes em cada arte. Além disso, deve providenciar para que seus cidadãos possam exercitar quietamente as suas atividades, no comércio e na agricultura e em todas as outras atividades humanas; e que não tema o cidadão de prover as suas possessões por temor de que lhe sejam tomadas, e o outro de abrir um negócio por medo dos impostos, mas deve o príncipe propor prêmios a quem queira fazer essas coisas e a qualquer um que pense, qualquer que seja o modo, em ampliar a sua cidade ou o seu Estado. Deve, além disso, na época oportuna do ano, manter ocupado o povo com as festas e os espetáculos. E porque as cidades estão divididas em artífices e tribos, deve ter em conta a todos, reunir-se com eles de vez em quando, dar de si exemplos de humanidade e magnanimidade, mantendo, no entanto, sempre firme a majestade de sua dignidade, porque isso não pode jamais faltar em coisa alguma.

XXII
Dos ministros que os príncipes têm junto a si

Não é de pouca importância a um príncipe a escolha dos ministros, os quais são bons ou não, segundo a prudência do príncipe. E a primeira conjetura que se faz do cérebro de um príncipe é vendo os homens que ele tem em volta de si; e, quando são capazes e fiéis, sempre se pode reputá-lo como sábio, porque soube reconhecer as suas capacidades e mantê-los fiéis. Porém, quando são de outro modo, sempre se pode dele fazer um juízo não bom, porque o primeiro erro que faz, o faz nessa escolha.

Não havia nenhum que, conhecendo o Senhor Antônio de Venafro como ministro de Pandolfo Petrucci, príncipe de Sena, não julgasse ser Pandolfo um homem valentíssimo, tendo aquele por seu ministro. E porque os cérebros são de três gêneros: um entende por si mesmo, o outro discerne o que os outros entendem, o terceiro não entende nem por si mesmo nem o que os outros entenderam; o primeiro é excelentíssimo, o segundo excelente, o terceiro inútil. Portanto, convinha necessariamente que, se Pandolfo não estava no primeiro grau, estivesse no segundo: porque, se alguém tem cérebro para conhecer, de modo geral, o bem ou o mal do que o outro faz ou diz, ainda que ele próprio não seja inventivo, então é capaz de conhecer as obras más e as boas do ministro, exaltando as boas e corrigindo as más; e o ministro não pode esperar enganá-lo e mantém-se bom.

Para que um príncipe possa conhecer o ministro, há um método que não falha nunca; quando tu vês o ministro pensar mais em si do que em ti, e que em todas as ações procura o que é útil a si mesmo, estás diante de um mau ministro e jamais poderás confiar nele: porque aquele ministro que tem o Estado de outro nas mãos não deve jamais pensar em si, mas no príncipe, e não pensar nunca em coisa alguma que não diga respeito ao príncipe. E, por outro lado, este para mantê-lo bom, deve pensar no ministro, honrando-o, enriquecendo-o, favorecendo-o, atribuindo-lhe honras e encargos importantes, de modo que veja que não pode ficar sem ele e que as muitas honras não o façam desejar mais honras, e as muitas riquezas não o façam desejar mais riquezas, e que os muitos encargos o façam temer a mudança. Quando, portanto, os ministros e os príncipes dos ministros são assim feitos, podem confiar um no outro; e, quando é ao contrário, o fim sempre é danoso ou para um ou para o outro.

XXIII
Como se defender dos aduladores

Não quero deixar para trás um tema importante e um erro do qual os príncipes com dificuldade se defendem, se não são prudentíssimos, ou se não fazem boa escolha. Refiro-me aos aduladores, dos quais as cortes estão repletas, já que os homens se comprazem tanto com as suas próprias coisas e, desse modo, se enganam, que com dificuldade se defendem dessa peste; e, querendo defender-se, correm o perigo de se tornarem desprezados. Porque não há outro modo de defender-se dos aduladores senão que os homens entendam que não te ofendem ao dizerem-te a verdade; todavia, quando qualquer um pode dizer-te a verdade, faltam-te com o respeito. Portanto, um príncipe prudente deve manter um terceiro modo, escolhendo no seu Estado homens sábios, e somente a esses deve dar livre-arbítrio para dizerem-lhe a verdade, embora sobre aquelas coisas que ele pergunta, e não de outras. Mas deve perguntar-lhes sobre qualquer coisa e ouvir a opinião deles; e depois deliberar por si mesmo, a seu modo; e com esses conselheiros, e com qualquer um deles em particular, portar-se de modo que saibam que, quanto mais livremente falarem, tanto mais seus conselhos serão aceitos: fora daqueles, no entanto, não querer ouvir mais ninguém, andar objetivamente à coisa deliberada e ser firme nas suas deliberações. Quem faz diferente, ou se precipita por causa dos aduladores, ou se mostra volúvel por causa das variações de pareceres, do que nasce a sua pouca estima.

Eu quero a esse propósito citar um exemplo moderno. Luca Rinaldi, súdito de Maximiliano, atual imperador da Áustria, falando de sua majestade, disse que não se aconselhava com ninguém e não fazia nunca coisa alguma a seu modo: o que nascia por manter procedimentos contrários aos acima expostos. Porque esse imperador é homem secretivo, não comunica os seus planos a ninguém, nem pede a opinião a ninguém; porém, como, ao colocá-los em prática, começam a ser revelados e descobertos, começam também a ser contraditos por aqueles que estão em sua volta; e aquele, como é volúvel, muda seus planos. Daqui nasce que aquelas coisas que faz num dia destrói no outro; e que não se entenda nunca o que queira ou planeje fazer; e que não se possa sobre as suas deliberações fundar o Estado.

Um príncipe, portanto, deve aconselhar-se sempre; no entanto, quando ele quer e não quando querem os outros; antes deve tolher o ânimo de qualquer um que queira aconselhá-lo de alguma coisa, se não houver pergunta. Mas ele deve ser um insistente perguntador e, depois, a propósito da coisa perguntada, deve ser um paciente ouvinte da verdade; antes, entendendo que se deve turbar se alguém, por algum falso respeito, não lhe disser a verdade. E muitos acreditam que um príncipe, o qual dá de si a opinião de prudente, seja assim classificado não pelo seu cérebro, mas pelos bons conselheiros que tem em volta; sem dúvida se enganam. Porque esta é uma regra geral que não falha nunca: que um príncipe, o qual não seja sábio por si mesmo, não pode ser bem aconselhado, salvo o caso em que a sorte confiou-lhe a apenas um conselheiro que em tudo o governasse e que fosse um homem prudentíssimo. Nesse caso, o príncipe poderia ser bem aconselhado, mas duraria pouco, porque aquele conselheiro em pouco tempo lhe tomaria o Estado. Mas, aconselhando-se com mais de um, um príncipe que não seja sábio não terá jamais os conselheiros unidos, nem saberá uni-los por si mesmo; cada um dos conselheiros pensará a seu próprio modo; o príncipe não os saberá corrigir nem conhecer; e não pode ser de outro modo, porque os homens sempre te retornam maldades, a menos que uma necessidade os obrigue a ser bons. Por isso se conclui que os bons conselhos, de quem quer que venham, nascem da prudência do príncipe, e não a prudência do príncipe dos bons conselhos.

XXIV
Por que os príncipes da Itália perderam seus reinos

As coisas acima descritas, observadas prudentemente, fazem um príncipe novo parecer quase hereditário e o tornam rapidamente mais seguro e mais firme no Estado do que se estivesse há muito tempo no poder. Porque um príncipe novo é muito mais imitado em suas ações do que um hereditário; e, quando são reconhecidamente *virtuosos*, cativam muito mais os homens e muito mais os motivam do que o sangue antigo. Porque os homens são muito mais ligados às coisas presentes do que às passadas; e, quando nas presentes encontram o bem, se contentam e não se acercam de outro; antes, tomam qualquer defesa pelo príncipe, desde que ele não falte a si mesmo nas outras coisas. Assim terá a glória duplicada, por haver dado início a um principado novo, por tê-lo ornado e corroborado de boas leis, de boas armas e de bons exemplos; como terá a vergonha duplicada aquele que, nascido príncipe, tiver perdido o principado pela sua pouca prudência.

E caso se considerar, em nossos tempos, aqueles senhores que na Itália perderam o Estado, como o rei de Nápoles, o duque de Milão, e outros, se encontrará neles, primeiramente, um comum defeito quanto às armas, pelas razões já longamente expostas; depois, se verá algum deles ou que teve o povo como inimigo, ou, se teve o povo como amigo, não soube assegurar-se dos grandes, porque, sem esses defeitos, não se perderiam os Estados que tinham tanto nervo a ponto de poderem manter um exército fora em campanha. Filipe da Macedônia, não o pai de Alexandre, mas aquele que foi vencido por Tito Quinto, não tinha muito Estado em relação à grandeza dos romanos e da Grécia que o atacaram: no entanto, por ser um homem militar e por saber entreter o povo e assegurar-se dos grandes, sustentou por muitos anos a guerra contra aqueles; e se ao fim perdeu o domínio de alguma cidade, permaneceu-lhe, contudo, o reino.

Portanto, esses nossos príncipes, que ficaram por muitos anos em seus principados, não devem acusar a fortuna, mas a si mesmos por havê-los depois perdido, porque, não tendo nunca nos tempos de paz pensado na mudança (o que é defeito comum dos homens, não pensar, na calmaria, sobre a tempestade), quando depois vêm os tempos adversos, pensam em fugir e não em se defender; e esperam que o povo, cansado com a insolência dos vencedores, chame-os de volta após a tempestade. Estratégia a qual, quando faltam as outras, é boa; porém, é certamente errado deixar os outros remédios por aquele, porque não cairias nunca, se fosse verdadeiro que sempre encontrarias quem te acolhesse; o que, ou não acontece, ou, se acontece, não estás seguro, por ser aquela defesa insuficiente e não depender de ti. E são boas, são certas, são duráveis somente aquelas defesas que dependem de ti mesmo e da tua *virtù*.

XXV
Quanto pode a fortuna nas coisas humanas e de que modo resistir-lhe

Não ignoro que muitos têm tido e têm opinião de que as coisas do mundo seriam governadas pela fortuna e por Deus, de modo que os homens, com a sua prudência, não poderiam corrigi-las, pelo que não haveria remédio algum; por isso concluem que não seria o caso de se cansar muito com as coisas, mas se deixar governar pela sorte. Essa opinião é ainda mais aceita em nosso tempo, pela grande variação das coisas que se têm visto e se vê a cada dia, muito além da própria conjetura humana. Pensando sobre isso, eu, às vezes, sinto-me em parte inclinado à opinião deles. No entanto, para que o nosso livre-arbítrio não seja apagado, julgo poder ser verdadeiro que a fortuna seja árbitra de metade de nossas ações, mas que também ela nos deixe governar a outra metade ou quase. E comparo aquela a um destes rios destruidores que, quando se enfurecem, alagam as planícies, arruínam as casas e os edifícios, levam a terra dessa parte, colocam-na naquela outra; todos à frente fogem, tudo cede ao seu ímpeto, sem se poder, em alguma parte, resistir-lhe. E ainda que as coisas sejam assim feitas, não significa, no entanto, que os homens, quando os tempos são de calmaria, não possam tomar providências, e com barragens e diques, de modo que, crescendo depois, ou ele seria desviado por um canal, ou o seu ímpeto não seria nem tão licencioso nem tão danoso. De modo similar intervém a fortuna, a qual demonstra o seu poder onde não encontra a resistência ordenada pela *virtù* e volta seu ímpeto para onde sabe que não foram feitos diques e represas para contê-la. E se considerares sobre a Itália, que é a sede dessas variações e aquela que deu a elas o primeiro movimento, verás que é uma planície sem diques e sem nenhuma represa: que, se ela fosse represada pela oportuna *virtù*, como a Alemanha, a Espanha e a França, ou essa inundação não teria feito as grandes variações que fez, ou sequer teria vindo.

E isso o que disse é suficiente, em termos gerais, quanto ao opor-se à fortuna. Contudo, restringindo-me mais a casos particulares, quero examinar por que hoje se vê um príncipe feliz, e amanhã arruinado, sem que tenha mudado a sua natureza ou qualidade alguma. O que creio que nasça, primeiramente, das causas longamente discutidas nas partes precedentes, isto é, que aquele príncipe que se apoia totalmente sobre a fortuna, arruína, quando ela varia. Creio, ainda, que seja feliz aquele que concorda a sua forma de proceder com as características do tempo, e similarmente seja infeliz aquele que com o seu proceder discorda dos tempos. Porque se vê os homens, nas coisas que os conduzem ao fim que cada um tem diante de si, isto é, glórias e riquezas, procederem variadamente; um com cautela, outro com ímpeto; um pela violência, outro pela astúcia; um pela paciência, outro pelo seu contrário; e cada um, apesar dessas diversas qualidades, pode chegar ao mesmo fim. Vê-se ainda dois cautelosos, um chegar ao seu fim, e outro não; e, similarmente, dois igualmente felizes com duas diversas qualidades; o que não nasce de outras causas senão das qualidades do tempo, que se conformam ou não com as qualidades dos homens. Daqui nasce aquilo que eu disse, que dois, diversamente procedendo, obtenham o mesmo efeito; e dois, igualmente procedendo, um chegue ao seu fim, e o outro não. Disso depende ainda a variação do bem, porque, se um se governa com paciência e respeito, e os tempos e as coisas giram de modo que o seu governo seja bom, é felicitado e glorificado; porém, se os tempos e as coisas mudam, é arruinado. Não se encontra homem tão prudente que saiba acomodar-se a isso; ou porque não se pode desviar daquilo a que a natureza o inclina, ou porque, tendo sempre alguém prosperado caminhando por uma trilha, não se deixa persuadir a se afastar dela. E por isso o homem cauteloso, quando são tempos de agir com ímpeto, não o sabe fazer; donde arruína e caso mudasse a sua natureza com os tempos e as coisas, não teria jamais a sua sorte mudada.

O Papa Júlio II procedeu impetuosamente em todas as suas coisas e encontrou tanto os tempos e as coisas conforme aquele seu modo de proceder, pelo que sempre chegou ao fim feliz. Considere-se a primeira expedição que fez contra Bolonha, vivendo ainda o senhor Giovanni Bentivogli. Os venezianos e o rei da Espanha não o apoiavam; a França duvidava acerca de tal empresa; contudo, com sua ferocidade e seu ímpeto, lançou-se pessoalmente àquela expedição. Gesto o qual fez ficarem perplexos e sem ação a Espanha e os venezianos; estes por medo, e aquela outra pelo desejo que tinha de recuperar todo o reino de Nápoles; e, no outro canto, trouxe atrás de si o rei da França, porque, vendo o rei como agira o papa e desejando fazer-se amigo dele para derrotar os venezianos, julgou não poder negar os seus soldados sem injuriá-lo manifestamente. Consegue, portanto, Júlio, com seu gesto impetuoso, aquilo que jamais outro pontífice, com toda a prudência humana, houvera conseguido, porque, se ele esperasse partir de Roma com os tratados firmados e todas as coisas ordenadas, como qualquer outro pontífice teria feito, nunca teria partido; além disso, o rei da França teria dado mil desculpas, e os outros, despertado mil medos. Deixo estar as suas outras ações, pois todas são semelhantes e todas foram bem-sucedidas. E a brevidade de sua vida não lhe deixou um sentimento contrário, porque, se tivessem advindo tempos em que seria preciso proceder com cautela, a sua ruína seria certa, pois jamais se teria desviado daquelas qualidades às quais a natureza o inclinava.

Concluo que, variando a fortuna, e estando os homens obstinados em suas qualidades, são felizes enquanto ambas, fortuna e qualidades, concordam entre si e, quando discordam, infelizes. Eu bem penso isto: que seria melhor ser impetuoso do que cauteloso, porque a fortuna é mulher, e é necessário, querendo mantê-la submetida, contrastá-la e enfrentá-la. E se vê que ela se deixa mais facilmente vencer por estes do que aqueles que procedem friamente; e por isso sempre, como a mulher, a fortuna é amiga dos jovens, porque são menos cautelosos, mais ferozes e com mais audácia a comandam.

XXVI
Exortação à libertação da Itália dominada pelos bárbaros

Tendo considerado, portanto, todas as coisas acima expostas e pensando comigo mesmo se, atualmente, na Itália seria o momento de se honrar um novo príncipe, e se haveria matéria que desse a ocasião a um prudente e *virtuoso* de introduzir uma forma que honrasse a ele e fizesse bem ao povo italiano, parece-me que tantas coisas concorrem em benefício de um príncipe novo, que eu não sei qual tempo seria mais propício do que este. E se, como eu disse, era necessário, querendo ver a *virtù* de Moisés, que o povo de Israel fosse escravo no Egito; e a conhecer a grandeza de ânimo de Ciro, que os persas fossem oprimidos pelos medas, e a excelência de Teseu, que os atenienses estivessem dispersos; assim, atualmente, querendo conhecer a *virtù* de um espírito italiano, era necessário que a Itália se reduzisse nos termos em que ela está no presente e que ela fosse mais escrava que os hebreus, mais serva que os persas, mais dispersa que os atenienses; sem cabeça, sem ordem; batida, espoliada, dilacerada, corrida; arruinada.

E ainda que até aqui se tenha mostrado um indício em alguém, fazendo julgar que Deus o teria ordenado para a redenção da Itália, também se viu depois como, no mais alto curso de suas ações, foi pela fortuna reprovado. De modo que, permanecendo como que sem vida, espera por quem possa ser aquele que cure suas feridas e ponha fim aos saques da Lombardia, às taxações do reino de Nápoles e de Toscana, e a cure daquelas suas chagas já por muito tempo fistuladas. Vê-se como ela pede a Deus para que lhe mande qualquer um que a redima dessa crueldade e insolência bárbaras. Vê-se ainda ela toda pronta e disposta a seguir uma bandeira, desde que exista alguém que a levante. Nem se vê, no presente, ninguém que possa fazer-se cabeça dessa redenção, ninguém de quem a Itália possa esperar mais do que dos membros de vossa ilustre casa, a qual, com a sua fortuna e *virtù,* favorita de Deus, é agora príncipe da Igreja. O que não será muito difícil, caso se estude antes as ações e as vidas dos príncipes denominados neste discurso. E ainda que aqueles homens sejam raros e maravilhosos, contudo foram homens, e cada um deles teve ocasião menos oportuna do que a presente; além disso, o empreendimento deles não foi mais justo do que este, nem mais fácil, nem Deus foi a eles mais amigo do que é a vós. Grande é a justiça aqui: "Justa é uma guerra para quem é necessária, e sagradas são as armas quando são a última esperança". Grandíssima é a circunstância favorável; nem pode haver, onde são grandes as circunstâncias favoráveis, grande dificuldade, contanto que se tome como exemplos aqueles que eu propus como mira. Além disso, aqui tem sido vistos eventos extraordinários, sem dúvida conduzidos por Deus: o mar se abriu; uma nuvem revelou o caminho a seguir; a pedra verteu água; aqui choveu o maná; todas as coisas concorrem para a vossa grandeza. O remanescente vós deveis fazer. Deus não quer fazer todas as coisas para não nos tolher o livre-arbítrio e parte daquela glória que cabe a nós.

E não é de se maravilhar se algum dos italianos acima denominados não puderam fazer aquilo que se pode esperar que faça a vossa ilustre casa e se, em tantas variações da Itália e em tantas operações de guerra, pareça sempre que naquela a *virtù* militar seria extinta. Isso nasce do fato de que os ordenamentos antigos de guerra não eram bons, e não surgiu ainda alguém que soubesse criar novos; e nenhuma coisa traz tanta honra a um homem que surja como novo príncipe do que as novas leis e as novas regras criadas por ele. Essas coisas, quando são bem fundadas e têm em si grandeza, fazem-no reverenciado e admirado. E na Itália não falta matéria para dar forma; aqui é grande a *virtù* dos membros, se não lhes faltarem as cabeças. Espelhai-vos nos duelos e nos congressos de poucos, quando os italianos são superiores com a força, a destreza, com o engenho; porém, quando formam exércitos, não aparecem bem. E tudo procede da fraqueza das cabeças, porque aqueles que o são, não são obedecidos, e todos julgam saber, não se encontrando até aqui nenhum que soubesse elevar-se sobre os demais, ou pela *virtù* ou pela fortuna, e que os outros concedam que assim seja. Daqui nasce que, em tanto tempo, em tantas guerras feitas nos últimos vinte anos, sempre que havia um exército totalmente italiano, era derrotado. Do que a primeira testemunha é Taro, depois Alexandria, Cápua, Gênova, Vailá, Bolonha, Mestri.

Querendo, portanto, a vossa ilustre casa seguir aqueles excelentes homens que libertaram as províncias deles, é necessário, antes de todas as outras coisas, como verdadeiro fundamento para qualquer empresa, prover-se de armas próprias, porque não se pode ter soldados nem mais fiéis, nem mais verdadeiros, nem melhores. E ainda que cada um desses seja bom, todos juntos se tornam melhores quando se veem comandados pelo seu príncipe e por ele honrados e entretidos. É necessário, portanto, preparar-se com essas armas para poder, com a *virtù* italiana, defender-se dos inimigos externos. E ainda que a infantaria suíça e espanhola sejam estimadas como terríveis, em ambas há defeitos, pelos quais um terceiro exército poderia não somente se opor a eles, mas também superá-los. Porque os espanhóis não podem conter a cavalaria, e os suíços hão de ter medo dos infantes, quando os veem combater obstinadamente como eles próprios. Donde se viu e se vê por experiência os espanhóis não poderem conter uma cavalaria francesa, e os suíços serem arruinados por uma infantaria espanhola. E, ainda que deste último não se tenha visto uma experiência completa, também se viu um ensaio na jornada de Ravenna, quando a infantaria espanhola enfrentou os batalhões alemães, os quais seguem a mesma organização que a infantaria suíça; onde os espanhóis, com agilidade de corpo e seus escudos brocados, entraram no interior de suas defesas e ali estavam seguros para atacá-los sem que os alemães tivessem qualquer remédio; e, se não fosse a cavalaria alemã, todos teriam sido aniquilados. Pode-se, portanto, conhecido o defeito de uma e de outra dessas infantarias, organizar uma nova, a qual resista à cavalaria e não tema a infantaria: o que resultará da qualidade dos soldados e da variação das estratégias. E estas são daquelas coisas que, pela nova ordem que preparam, dão reputação e grandeza a um príncipe novo.

Não se deve, portanto, deixar passar essa ocasião para que a Itália, depois de tanto tempo, finalmente tenha um redentor seu. Nem posso exprimir com que amor seria recebido em todas aquelas províncias que foram atingidas por essas inundações estrangeiras; e com que sede de vingança, com que obstinada fidelidade, com que piedade, com que lágrimas. Quais as portas que lhe seriam fechadas? Quais os povos que lhe negariam a obediência? Qual a inveja que lhe seria oposta? Qual italiano lhe negaria lealdade? A todos enoja esse domínio bárbaro. Encare, portanto, a vossa ilustre casa esse empreendimento com aquele ânimo e com aquela esperança que são próprias das causas justas, a fim de que, sob a sua insígnia, esta pátria seja nobilizada e, sob os seus auspícios, verifique-se aquele dito de Petrarca:

> *Virtù*, contra a barbárie
> Levantará as armas, e breve será o combate
> Que o antigo caráter
> No coração italiano ainda se debate